U0126308

張蓓蓓 著

認識國學

臺灣學生書局印行

再版說明

中山學術文化基金會為加強青年及一般國民之通識教育，特於民國八十五年主編「中山文庫」一套，內容以人文、社會、科技為主軸，邀請海內外專家學者撰寫，計共百冊，每冊十萬字為度，俾能提倡社會讀書風氣，形成書香社會。交由臺灣書店印行，現該書店業已結束經營，而文庫諸書亦多已售罄。基金會即商請再版印行。本書局在臺成立四十六年，主要提倡學術文化，建立書香社會為職志，而文庫之內容簡明扼要，論述鞭辟入裏，必能裨益學林，遂欣然同意陸續規劃發行。爰以再版在即，敘述緣起如右。

臺灣學生書局　謹啟

中華民國九十三年九月

序

中山先生不僅是創立中華民國的　國父，而且也是廣受國際人士推崇的一位偉大的思想家。中山先生自謂其思想學說的主要淵源，乃係數千年來中華民族文化的一貫道統。而孔子的大同思想，尤爲其終身所嚮往。故中山先生一生欲謀解決的，乃是中國和全世界人類的共同問題。他的思想學說之所以能夠受到各國有識之士的重視，自非無因。

蔡元培先生所撰之「三民主義的中和性」一文中，談及古今中外許多思想家和政治家所提出的解決人類問題的主張，大都趨向於兩個極端。例如中國法家的極端專制，道家的極端放任。又如西方人士主張自由競爭的，則要維持私有財產制度；主張階級鬥爭的，則要沒收資本家的一切所有，這些都是兩極端的意見。而具有「中和性」的三民主義，則是「執其兩端，用其中」，主張不走任何一端而選取兩端的長處，使之互相調和。所以蔡先生說：「能夠提出解決人類問題的根本辦法的，衹有我們孫先生，他的辦法就是三民主義。」因此蔡先生一生服膺三民主義，成爲中山先生最忠實的信徒。

從中山先生傳記中，可知他青年時期所接受的是醫學的專業教育，故對自然科學具有良好的基礎。加以他博覽中國的經史典籍，並精研西方的「經世之學」，所以他的思想學說，實涵蓋了人文、社會及自然科學的各種領域。因而他對達爾文的進化論、馬克斯的唯物史觀以及西方的資本主義，均能指出其錯誤和偏差。而中山先生一生主張「把中華民族從根救起來，對世界文化迎頭趕上去」。正如孔子一樣，他眞正是一位「聖之時者」的偉大人物。

中山先生常言：「有道德始有國家，有道德始成世界」。環顧今日國內則社會風氣日趨敗壞，「四維不張」，人心陷溺，而國際間則爾虞我詐，戰亂不息。在整個世界人人缺乏安全感的環境中，我們更不能不欽佩中山先生數十年前的眞知灼見。他這兩句特別重視道德的「醒世警語」，實在是人類所賴以共存共榮的金科玉律，更爲一種顛撲不破的眞理。今日由於交通及電訊的便捷，有人常稱現在全世界爲一「地球村」，但如在此地球村生存的人沒有「命運共同體」的意念，則所謂地球村，僅係一空洞名詞。中山先生所遺墨寶中，最常見者爲「博愛」與「天下爲公」數字，我們倘能廣爲宣揚他這種「爲往聖繼絕學，爲萬世開太平」的理念，則大家所居住的地球村，將可呈現一片祥和的景象，使人類獲得永久的和平與幸福。

中山先生一生特別強調「實踐」的重要，故創有「知難行易」的學說。所以我們今日研究中山先生的思想學說，似不宜專注意於其理論的層面，而應以中山先生思想學說的重要理念爲基礎，進而參酌各種學術研究的最新成果，與世界潮流未來發展的趨勢，以及我國社會當前的實際需要，藉使中山先生思想學說的內涵，能不斷增補充實，與時俱進，成爲「以建民國、以進大同」的主要指標。

中山學術文化基金董事會自民國五十四年成立以來，即以闡揚中山先生思想及獎勵學術研究爲主要工作。余承乏董事長一職後，除繼續執行各項原定計畫外，更邀請海內外學術界人士撰寫專著，輯爲「中山叢書」及「中山文庫」。同時與報社合作，創刊「中山學術論壇」。此外，復就中山先生思想體系中若干易滋疑義之問題，分類條列，悉依中山先生本人之言論予以辨正。務期中山先生思想在國內扎根，向國外弘揚，並進而對促成中國和平統一大業能有所貢獻。

劉真

中華民國八十三年六月
於中山學術文化基金會

目次

壹、前言

「國學」是相對於「西學」而有的名稱。自西風東漸，西學傳入我國，對我國固有學術形成了衝擊：有主張棄故常而就西方者，也有主張發揚國粹、整理國故者，也有主張「中學爲體，西學爲用」者。「國學」大體而言就是中國傳統學術文明的一個總稱。當然，這一名稱的成立應該是在西學傳入以後，也就是在清末民初時期。

民國九年，胡適之先生在《國學季刊》的〈發刊宣言〉中說：

> 國學在我們的心眼裡，只是國故學的縮寫。中國的一切過去的文化歷史都是我們的國故，研究這一切過去歷史文化的學問就是國故學，省稱國學。

這一定義，看似簡單明瞭，卻不能說確切不移。爲什麼？因爲它表現著民初學者比較自卑的態度。第一，它說國學是研究「國故」的，也就是研究中國一切「過去的」文化歷史的；這樣的說法，似乎把現在和過去截然劃分，似乎不以爲過去的這些東西還能遞傳下去，還有思考及學習的價值，現代知識文明也與這些全不相干；「國學」勿寧只是些舊材料，可供現代學者作研究探討之資；實際上它把「國學」壓低看小了。第二，它說國學就是國故學，是研究中國一切過去「歷史文化」的學問；這裡似乎有意忽略了「學術」一詞，言下似乎不以爲中國亦有自成體系原原本本的學術傳統；不過悠久的歷史文化當然不宜抹殺，所以在其中隨意找些題目研究研究也都算是「國學」了。

我們必須說，五四運動前後的一些學者，使用「國學」或「國故學」之詞，實際上帶有相當的批判性。民國八年五月，毛子水先生在《新潮》發表〈國故和科學的精神〉一文，強調當用「科學的精神」來研究國故；同年十一月，胡適之先生發起「整理國故」運動，即主張「輸入學理，研究問題」，主張分清「國粹」與「國渣」，並借用尼采的話，要求「重新估定一切價值」。次年一月，胡先生就作了前述的《國學季刊》〈發刊宣言〉。在〈宣言〉中，他還明白提倡向西方學習科學方法，呼籲「打破閉關孤立的態度，存比較研究的虛心」，以如此般的心態來研究國學。明白了這些背景，我們才容易推知，胡先生對「國學」一詞所下的定義，實在不甚平正，或者可說缺少了溫情與敬意。

時至今日，「西學」東來已有百年以上的歷史，世界大通，四海如一，「西學」固已充分顯露其精采，「國學」亦無須自慚形穢。從比較文化學的角度來說，國人正應對中國傳統的學術文化大根大本有所認識，建立民族自信，培養恢宏視野，期能取精用宏，對國家民族的發展與人類文明的進步有所貢獻。

那麼我們究竟應怎樣來看「國學」？怎樣來研究「國學」？中國的學術文明，是深厚文化的精光，隨悠久歷史以俱進；縱著看，經、史、子、集各有發展的歷程；橫著看，每一朝代各有當代的特詣。研究者不可能深入國學的每一方面，但是只專注其中的一、二方面也不是上策。中國學問，從來重通不重專，每一個方面與部門都有血脈相通；過早劃地自限，將有以管窺豹之弊。理想的境界是觀其大體，既能稍見國學的全貌，更能掌握國學的脈絡與系統；能略知數千年長時期內國學的演變，更能領會中國傳統學術體系中恒久不變的本質與精神。

這樣的理想，其實多少還須借重民初學者所謂「比較研究的虛心」。相對於西方的學術文化，中國自己也有另一套不同的學術文化。民族不同，思想方式、行為方式不同，文化便不同，學術亦不同。我們倘對西方學術文化有了一些認識，回過頭來用客觀的態度、比較的眼光再來審視中國自己的傳統學術文化，當更能發現自己傳統的特殊性、優越性或者局限性。不過這樣的比較，絕不應以西方為標準，與彼相合才有價值，與彼不同者即無價值。不應以人非我，也不應以今非古。只要借助一些新眼光，自會產生一些新結論。公平的詮衡，必能讓我們對國學有合理的認識。最終我們將會發現，國學並非過時的古董；中國人的人文智慧，非但是民族生命的源頭活水，或許還能成為世界人類的指路明燈。

貳、國學的內涵及其開展

《論語》中曾記載孔子教其子伯魚學詩、學禮，並說：「不學詩無以言，不學禮無以立。」詩與禮應該就是孔門的教育內容，也就是中國早期的學術內容。《史記》〈孔子世家〉則進一步說明：「子以詩、書、禮、樂教。」《詩》、《書》、《禮》、《樂》，次第寫下成了經典，再加上《易》與《春秋》，就稱爲「六經」，成爲中國最重要的典籍，爲讀書人所必讀。

六經是不是中國最古老的書？這個問題頗費解釋。說到中國的古史，普通從三代說起。三代是夏、商、周。夏、商文明，應該已經粗具規模，可惜沒有典籍傳世。孔子曾說：「夏禮吾能言之，杞不足徵也；殷禮吾能言之，宋不足徵也。」只有周朝的典章制度、禮樂文明，因有周公的一番心血灌注，特見燦爛光昌，直到東周時尚有典型。魯襄公二十九年，即周景王元年，西元前五四四年，吳公子季札聘魯，請觀周樂。《左傳》載其事曰：

吳公子札來聘，請觀於周樂。使工為之歌〈周南〉、〈召南〉，曰：「美哉！」為之歌〈小雅〉，曰：「美哉！」為之歌〈大雅〉，曰：「廣哉，熙熙乎！」為之歌〈頌〉，曰：「至矣哉！」

其後四年，即魯昭公二年，周景王五年，西元前五四〇年，晉卿韓宣子聘魯，請觀藏書。《左傳》亦載其事，曰：

晉侯使韓宣子來聘，觀書於太史氏，見《易象》與《魯春秋》，曰：「周禮盡在魯矣。吾乃今知周之德與周之所以王也。」

從此二條文獻資料看來，直到春秋後期，宗周禮樂尚相當完好的保存在魯國。何以魯國獨有這樣的條件？因爲魯國本是周公後嗣的封國，而周公制禮作樂，正是周代文明的主要開創者。所以我們也可以了解，身爲魯國人的孔子，何以這般地嚮慕周文明，說：「郁郁乎文哉！吾從周。」又何以這般地嚮慕周公，說：「甚矣吾衰也，久矣吾不復夢見周公。」他以詩、書、禮、樂教弟子，正是嚮慕周文明的具體表現。

周文明的具體內容既是詩、書、禮、樂，當然應該有成文的書籍。不過《詩》、《書》之爲書，實是詩歌與公文書的合集，編輯有其歷程；而《禮》、《樂》之爲書，則是禮儀與樂譜的記錄，表述困難，成書不易。至於晉國韓宣子所提到的《易象》與《魯春秋》，雖被韓宣子稱作「周禮」，卻與詩、書、禮、樂不同。它們可以看作廣義的周文明的另兩類內容。《易》是占卦論吉凶的書，《春秋》是記史談是非的書。其淵源雖早，由於資料絡續添附，後來的成文之書已不是太古之物了。

如此說來，「六經」雖是中國最重要的典籍，卻不好說是中國最古老的書。只可說，六經中有些部分是極古老的，譬如《詩經》中的〈周頌〉及〈大雅〉的某些篇章，《書經》中的〈周書〉及〈商書〉的某些篇章，以及《周易》的卦爻辭，它們的年代都可遠溯到三千年前的西周初期；但六經中的大部分卻並不甚古，往往產出於東周春秋戰國時期，有些甚至晚到二千三百年前的東周末年，譬如〈易傳〉與《儀禮》。不過，無論如何，整體的「六經」所呈現出的文化規模與文化理想，卻是往後數千年中國人嚮往之所歸，一切政教方針之所憑；甚至中國人所篤信的「道」也精微詳悉地體現在六經裡。所以六經確實是中國人心目中傳統學術之代表，學術精神之最高歸依。

經學可以說是西周以來的典型學術，諸子則是戰國時代的新興學術。經學可稱爲「王官學」，子學可稱爲「百家言」，一屬官方學術，一屬私家學術。諸子之別出，一方面固是學術的分裂，一方面也即是學術的開展。

何以諸子學大盛於戰國時代？原因可分數項來說。第一，從西周初至春秋末，五六百年間，時勢屢經變遷，周天子失政，權歸霸主，諸侯分立，擾攘未息；周公以來的傳統學術，昇平禮樂，似乎已不足以應付亂世的需要，新的學術遂在時代的要求下誕生。第二，封建之世，民智未開，「禮不下庶人，刑不上大夫」，學術原爲貴族階級所壟斷；隨著數百年來社會的變動，階級漸歸泯沒，學術亦下流於民間；舊學術遇上新時代與新人才，當然很容易就激發出新火花，醞釀出新思想。第三，中國學術史上的巨人孔子，正出現於春秋後期。孔子以詩、書、禮、樂教弟子，有教無類，成材無數，在普及教育的方向上盡了極大的力量。更重要的是，他雖然推廣傳統學術，卻鼓勵弟子思考檢討，革除積弊；譬如說：「禮云禮云，玉帛云乎哉？樂云樂云，鐘鼓云乎哉？」他也鼓勵弟子修己愛人，學道議政，故子禽曰：「夫子至於是邦也，必聞其政。」儀封人曰：「天下之無道也久矣，天將以夫子為木鐸。」如此學風，對於後來諸子實有相當的影響，使他們勇於提出各種救國救世的新主張來。故孔子雖願自居為「王官學」的整理者，卻不期然而成為「百家言」的催生者。

戰國諸子，論其學派，主要可分為儒、墨、道、法、名、陰陽幾家。學說的不同，其實可看成是救世主張的不同。如果將先秦諸子比擬為西方的「哲學家」，似乎並不恰當，因為諸子學說基本上都關切人生實務與大群生活，並不是象牙塔中的哲思；並且其學說的思辯性，也不如所謂哲學那樣強。關懷人世，不偏陷於本體論及形上學，同時也不傾倒於超世的宗教與唯物的科學，正是中國學術的基本特質；這從六經到諸子，以迄將來的其他學問，都是一樣的。

諸子學說，看來各趨一端，但它們大體都針對著疲敝的「周文」而起，所以彼此間其實具有某種程度的共通性。孔子創始了儒家，他崇仰周公也肯定禮樂，但末世禮樂許多地方已經形式化或驕奢化，味失了根本，所以他主張溫和的改革；他說：「人而不仁如禮何！人而不仁如樂何！」他提出一個「仁」字，作爲人道標準，也以此來檢驗一切的禮與非禮。墨翟繼孔子而起，創始了墨家。他的態度，比孔子遠爲激烈。他以平民階級的代言人自居，認爲禮樂是貴族階級自尊自貴的花樣，浪費無益，不如去之，所謂：「以爲其禮煩擾而不悅，厚葬靡財而貧民，久服傷生而害事，故背周道而用夏政。」（《淮南》〈要略〉）他的主張，除了提倡平等的兼愛與尙賢外，主要就是反禮。法家人物，前有李克、商鞅等，後有韓非、李斯等。法家在精神上近於儒而遠於墨，希望維持現有秩序而非破壞，但他們太維護君王的利益，爲了追求富強，不惜出以嚴刻的手段，結果彬彬相待的「禮」一變而爲以上制下的「法」。道家人物，最著的是莊周與老聃。道家在精神上比較近墨遠儒，又自造新境，不但反禮樂，甚至反政治、反教化、反文明；幸而他們的態度是隱退的、是自適的、是玄想的，所以並不如法家般流於偏激的手段，爲禍天下。名家源出於墨而溺於名辯，陰陽家欲兼儒、道而轉入迂怪，則是愈遠愈歧。

如此說來，先秦子學雖稱「百家爭鳴」，實際上仍可看作一系列出於經學而通變求新的學術統系，各家學說雖醇駁不同，卻不無可以相足互補之處。所以班固在《漢書》〈藝文志〉中的評論甚爲中肯：

> 諸子皆起於王道既微，諸侯力政，時君世主，好惡殊方，是以九家之說，蠭出並作，各引一端，崇其所善，以此馳說，取合諸侯。其言雖殊，譬猶水火，相滅亦相生也；仁之與義，敬之與和，相反而皆相成也。《易》曰：「天下同歸而殊塗，一致而百慮。」今異家者各推所長，窮知究慮，以明其指，雖有蔽短，合其要歸，亦六經之支與流裔。若能修六藝之術而觀此九家之言，舍短取長，則可以通萬方之略矣。

從細處看，各家學說的不同當然一一可以指陳；但從學術大體來說，「百家言」無非就是衰世的救弊之學。對症下藥，各家所開的方子不盡相同，而且下藥或嫌太猛；但想要治病的心則是一樣的。儒家孔、孟，吸納了六經的精意，留下了親切的語錄，對後世的影響特爲深遠；道家莊、老，以開曠的自然觀舒放了人文的格局，提供了不一樣的人文智慧，也在中國思想史及文化史上大放光芒。

戰國末秦、漢之交，學術漸有由分歧走向匯整的趨勢。後起的儒家學者，在此時期也有相當的偉績。他們參酌道家的天道自然之論，會通於孔、孟的仁義教化之說，建立了完整的「天人合一」思想，將傳統思想推向高峰。代表性的著作，爲《易經》的諸傳，以及《禮記》的〈中庸篇〉等。《禮記》中所收的幾許大文，譬如〈大學篇〉及〈禮運篇〉，也都是當時學者博觀汎覽之後的精粹之作，明白揭示出儒家由小己至天下的爲學過程與經世理想，足以稱爲儒林之鴻寶。另如呂不韋的《呂氏春秋》，甚而下至淮南王劉安的《淮南子》，在當時也都有調和融通諸家思想學術以歸於一的企圖；惟劉安擺脫不了道家的籠罩，呂不韋不免於駁雜未能精純，結果終究沒有令人滿意的成績。

漢武帝開始，政治經濟的強大助長了學術歸一的要求，自秦始皇焚書坑儒以來生機已失的周典舊經又得到注目。畢竟衰世的家言不足以當一代的新學，源出周公託於孔子的五經（《樂經》早亡）勿寧更適合盛漢之所需。於是五經再成官學，皆設博士，又設弟子員，專門講習。百家言的勝義新解當然也多少容納於經術之中。由於在上者的提倡獎掖，經學從此統領風騷達三百年之久。

漢儒好言「通經致用」，以經術扶會政治，所以君臣往往依經斷事、依經定制，政治措施乃至整個政教精神多從經學中來。清儒皮錫瑞說：

> 武、宣之間，經學大昌，其學極精而有用。以〈禹貢〉治河，以〈洪範〉察變，以《春秋》決獄，以三百五篇當諫書，治一經得一經之益也。

不止此也，甚至當代的社會風氣與人生嚮往也多受到經學的指引。學術與政教的結合，在盛漢確實已達到了可觀的程度。經學浸入到文化的各個層面中發生了實質的影響，這是漢代的光榮，其影響也一直延伸到後代去。

兩漢重經學，直接的反映應是經學名注的產生。西漢前期，說經尙舉大義、存大體，章句尙少；久而久之，各經皆有數家之說，一家章句甚或多達百萬言。煩瑣至此，反令學者不易研求。今文博士的經說經注往往不傳於後，原因或即在此。倒是東漢後期比較通博的學者所作，如鄭玄的《三禮》注，《詩》箋，何休的《公羊》注，趙岐的《孟子》注，還能傳習至今。

漢末三國分立，曹魏短祚，司馬晉又長期偏安江左；北方五胡十六國迭起相角，最後歸併爲元魏，南方則宋、齊、梁、陳篡奪相仍，天下動盪分裂。整個魏晉南北朝，由於政治不上軌道，學術亦不能有堅實的發展。但紛亂的局面自另一角度言也開啓了文化的新機，使得此一時期的學術與文化仍然呈現著活潑的生氣和多元的面貌。

先說傳統經學。經學在此期中並沒有得到多少的獎勵與支撐，但深厚的傳統使它仍然占有一定的地位。學士大夫，研誦未廢經典；朝廷文教規模，大體仍維持於常禮之內。當時仍持續有經學名注的產生，如王弼《易》注，僞孔《尚書》傳，杜預《左傳》注，范寧《穀梁》注，郭璞《爾雅》注，以及何晏的《論語》集解等。下至南北朝，各經陸續皆有詳細的義疏，下爲唐人《五經正義》所取資。

更值得重視者，則是史學在此一時期中勃然興盛，遂正式在中國學術中自成一國，甚且蔚爲大國。中國學術，分立爲經、史、子、集四大部門，其事正完成於魏晉南北朝時。本來史學的精神，褒善貶惡，體察人心，關切世情，原與經學講求修齊治平的宗趣合一不殊；經學中也即有史學的典型，如《尚書》，如《春秋》；故從經學中走出史學來乃是自然的發展。漢代司馬遷、班固、荀悅等人已爲新興的史學奠下基礎，魏晉以還的學者爭相在新園地中辛勤耕耘，成績斐然。

總計此期中作成的史書有八百餘部，一萬六千餘卷，爲量十分驚人。正史之中，《後漢書》、《三國志》、《宋書》、《南齊書》、《魏書》等都在此期中完成。《晉書》則先後作者甚至達二十餘家之多。其他如雜傳、霸史、地理、譜系等類史著，也都有長足的發展。

至於玄學與佛學的興起，則是魏晉南北朝特可注意的新風氣。所以如此，自然是因爲政治不夠清明，社會不夠公平，人心不能夠像盛周與盛漢時那般，寄託在盛世之禮樂教化中而得到安頓，只有轉而在老莊與瞿曇的理論中尋求安慰。斯時《易》、《老》、《莊》號稱「三玄」，研習成風，產生了若干名注，尤著者如王弼《老》注與郭象《莊》注。但王、郭二注都有突破本書原旨的地方，實可看作魏晉思想的代表作。而魏晉人重「自然」輕「名教」，舒展自我個性，更是對於儒家大群主義的一種反動與反省；這種心靈的解放，甚有助於當代文學與藝術的發達。再說印度佛學之傳入，原先當然也是因爲合乎時代人心的需求，並且與道家思想可相扶會；但它悲觀厭世的表象後面，卻有徹悟的智慧，頗值研尋，因此竟以新宗教之姿而吸引了學者的注意。據《開元釋教錄》所載，自漢末至唐初，佛典翻譯共達二千二百部，七千卷，其中大部分完成於魏晉南北朝時期，這是有形的成績；無形的方面，則印度思想與中國思想的進一步交融始終進行不止，其沈深的影響直緜延到幾個世紀之後。

此一時期文學與藝術的開展亦決不應忽視。由於個體的解放，引導情志的自由伸舒，才氣的充量發揮，使得抒情寫志的純文學開始發展，得到獨立的地位；一切書、畫、琴、棋藝術，也都擺脫了「壯夫不爲」的處境，有了生長的空間。這在中國文化史上應是值得大書特書的一件事。

唐代開始，繼承著魏晉南北朝之遺緒，經學史學都有穩定的發展。經學上最可注目的成就是孔穎達等整編的《五經正義》，就《易》、《書》、《詩》、《禮記》、《左傳》五書作了詳盡的疏釋；史學上最可注目的成就是《晉書》、《梁書》、《陳書》、《北齊書》、《北周書》、《隋書》、《南史》、《北史》等正史的撰成，以及典制史如杜佑《通典》的創興，以及史學評論如劉知幾《史通》的產生。可以說唐人在經、史兩方面都交出了頗可一觀的成績單。

但眞正凝聚了唐代士人的聰明精力，達到了花爛映發的極致境界，足可稱爲一代之標榜的，卻不是經史，而是文學。無論是詩或散文，在當時都有高度的進展。詩的方面，固是古近律絕，形式精美而多樣；文的方面，則除了傳統的應用文體如論議、書信、碑誄之類外，贈序、雜記、雜說等新體迭出，並且所有新舊各體都能跳出應用的窠臼而自由抒寫，確可說是體式豐富而器格宏張。更爲可貴的是，詩歌及短篇散文的內容始能超越在個人感興之上，作者多能含英咀華，深醇發越，遠規群經與諸儒，使得文學不僅可抒情，兼亦可載道。文學的價值由此提昇到了一個空前的高度。杜甫稱「詩聖」，韓愈稱「文起八代之衰，道濟天下之溺」，可見當代的文學大家已不爲文學一格所限，而在中國學術傳統中佔到了自己的新地步。

至於前一時期中傳入的佛學，在隋唐階段也有著重大的進展。歸本空寂、提倡出世的佛教，經由中國僧人的熱心體證與導引，終於轉上了相當積極的方向，一方面仍能作人心的寄託，一方面也減輕了宗教的氣味，轉型成心性修養的妙道。天台宗、華嚴宗及禪宗，都由中國僧人所創立，其共同的特色，便是忽略文字言說，重視心悟與習行，將印度佛學理論條貫化與簡淨化，最終走出了「即身成佛」之勝義。這代表中國傳統人本精神與佛家思想的融會渾化。既是即身可以成佛，則學佛未必出家，衆生煩惱即是佛菩提，人生世俗中大可修行，故出世之情轉淡，濟俗之意日深，由此遂順利接上了宋代儒學之復興。禪宗「明心見性」的論調，也直通到孔、孟、《易》、《庸》的老路上，成爲宋明理學的重要思考方向。

宋代學術，有兩個面向值得特別提出。第一是經學的開新，第二是理學的特起。總括言之，是傳統學術緩步前進與外來思想大力激盪之後的積極振作，帶有明快且能深入的特色，成熟中富有生意。

先說經學的開新。漢人以提倡五經來超越諸子百家，宋人也以振興經術來超越佛老。但漢人的經學末後流於章句訓詁，大不爲宋人所喜。宋人的理想在矯挽道、佛思想導成的個人主義之頹風，重新恢復儒家的大義，原本經術來福國利群。他們對遺經，多能抱通達的見解而疑其非古或僞羼，如歐陽修疑《易傳》、疑《河圖》《洛書》、疑《春秋三傳》；他們也擺落馬、鄭舊說而自成新見，如王安石有《詩》、《書》、《周禮》三經《新義》。事實上他們也不以經學自限，一時大師全能出入於經、史、道德、文章、政事之間，氣魄宏大。如此經學，必然會走上變法之途，則如范仲淹之慶曆變法與王安石之熙寧變法。變法的成功與否且不論，可貴重的卻是宋儒的一段經世致用精神。

宋代經學中更可注目的人物則是朱熹。他對經書，有許多具突破性而又合理的看法，一改漢人成見：宋儒黃震曾云：

> 朱子謂《易》本卜筮，謂《詩》非美刺，謂《春秋》初不以一字為褒貶，皆曠世未聞之高論，而實皆追復古始之正說；乍見駭然，熟輒心靡。卓識雄辯，萬古莫儔。

本此看法，他寫下的新經注如《易本義》、《詩集傳》、《儀禮經傳通解》等都能明朗通貫，面目全新。尤其重要者，則是他集北宋理學周、張、二程之大成，遂本理學見地來革新經學內容：他推崇《論語》、《孟子》在明道成德上的功用，並從《禮記》中抽出〈大學〉、〈中庸〉二篇高談性道、義理精明的大文，合爲「四書」，自作《四書章句集注》，以爲學者先務，地位猶在六經之右；自言：

河南程夫子之教人，必先使之用力乎〈大學〉、《論語》、〈中庸〉、《孟子》之書，然後及乎六經；蓋其難易遠近大小之序固如此而不可亂也。

是此一教法本諸程門。程子謂〈大學〉爲「初學入德之門」，〈中庸〉爲「孔門傳授心法」，又謂「讀《論語》、《孟子》而不知道，雖多亦奚以爲」，其所著眼，居然可知。道德心性凌駕了經世禮樂，經學傳統至此遂有一大轉變。元、明以次直至清代，科舉試士，皆以四書，所謂學問，幾乎都以四書爲主腦，宋人新經學披靡一世直達五百年以上。

再說理學的特起。理學之所重，頗與已往儒學不同。簡言之，理學所探究者爲天道性理之範疇，包括宇宙本體問題，心性問題，以及心性與本體、事物的關係問題，並及一應修養工夫。顯然其哲學意味比較濃厚，而其受到佛學思想的激發也屬無可否認。可以說，禪家深研心性，激起宋儒要重拾孔、孟、《易》、〈庸〉之墜緒，要提出儒家式的新形上學與新修養論以拔趙幟立漢赤幟；這是繼戰國秦儒融會儒、道之後又一次要求融會儒、佛，並且要借力使力，重新由內部把自己綱基建立起。〈大學〉之八條目：格物、致知、誠意、正心、修身、齊家、治國、平天下，正表見出宋儒理想中的人生實踐之整個條貫，以故宋人特加表彰；但事實上，理學家治心的興趣要高過治世，修身以上，格、致、誠、正，為他們所愛言；他們似乎以為，存理去欲，王道自然可期；亦可說他們重視「內聖」勝過了「外王」。但他們之所以要致力推明心性工夫，追求聖賢境界，卻並非只為一點哲學興趣；他們的理想正是要把禪家所講的虛靈之心扣挽在天理上，落實在事物上，使得人生實際事業全部重新得到意義。若論其居心是極可敬佩的。張載曾言：

> 為天地立心，為生民立命，為往聖繼絕學，為萬世開太平。

這可說是宋儒的終極嚮往。宋儒論道體，辨理氣，可謂極其高明；而他們所言心性工夫，更是愷切著明，甚有益於吾人之立身修己。由「盡性」而「窮理」，由「主靜」而「居敬」，幾許格言要語，都值得深細體會。宋儒著述多為直抒心得，屬於「語錄」一類；即有結撰，也屬精言短章，如《通書》、〈西銘〉之類；讀宋人書，須得打破已往卷帙文書觀念、用心深入，見諸實行，方為有功。

下至元代，異族入主，政治、社會情態又變。但朱子以下兼重經史並且不廢理學的儒者如金履祥、黃震、王應麟、馬端臨、胡三省等，仍能在變亂之局中持續其守先待後的學術研究工作，並在各個方面俱有一定的成績。明代重臻治平，學術文化遂能在元人已有的基礎上繼續進展。

明代學術，在經史、文學諸方面都平平無足述。《五經大全》及《四書大全》的結集，不過是朝廷功令之準憑，平實有餘，精采不足。文壇上雖有前後七子之崛起，主張文學改革，所謂「文必秦漢，詩必盛唐」，畢竟無法把握到杜、韓以來以文明道的精髓，只成其為模擬與形似，亦無以提振消沈的文風。只有後期的茅坤與歸有光，能夠取法韓、柳、歐、曾、王、三蘇等八大家，寫作樸茂的古文，下開清代的桐城一派，稍存唐宋散文之眞。而元、明以還，戲曲、小說的發展，則可說是文學大衆化的表現。

若論明代學術較凸出的表現，自然仍在理學方面，或可說是心學方面。黃宗羲《明儒學案》〈發凡〉云：

有明文章、事功皆不及前代，獨於理學，前代之所不及也。牛毛繭絲，無不辨析，真能發先儒之所未發。

牛毛繭絲的細部討論姑且可以不究，倒是明儒中有王守仁者，繼承了宋儒陸九淵一派的意見，主張發明本心，單提「致良知」，並說「良知即天理」，聖人只須在心髓入微處用力，成就自家心體，則大用在其中。單歸一心，所以謂之「心學」。當然陽明講學還講到省察克治工夫，還講到事上磨練，但他這種徹底的唯心論畢竟太過極端，易簡則易簡矣，恐怕不免「滿街都是聖人」，一切讀書學問全可擺落，學風轉爲空疏，世運也因以敗壞。

滿清入關，對於漢人的高壓統治更勝蒙元，學術的發展也受到甚大之影響。原來宋明六百年理學風氣已到了不得不變之候，明末清初三大儒顧炎武、黃宗羲、王夫之雖都具理學根柢，其爲學方向已不約而同的轉向經史實務，由虛反實，由靜反動。顧炎武曾說：

古今安得別有所謂理學哉？經學即理學也。

黃宗羲也曾說：

讀書不博，無以證斯理之變化。博而不求於心，是謂俗學。

從此最可以看出風氣的轉變。但不幸清初文字獄屢興，使學者不能以實行自立，亦不敢言經濟實學，結果折而轉向，竟以踏實死板的經學訓詁取得了生存空間，使得小學壓倒一切，訓詁考據壓倒一切；清代學術遂以這般畸形的經學研究爲一代之標徵。吾人倘若以陽明心學爲側重內心的一偏之學，則乾嘉經學便是另種側重紙片的一偏之學；其所偏雖互成極端，其爲偏而失正則是相同的。

清代學術界，也有他們的壁壘。由於風氣轉變以及反對政府功令，所謂「宋學」在清代始終無法抬頭，經學家則以「漢學」自居，效法漢儒治經。但清代經學實與注重經世治平的漢代經學精神有相當不同。他們最多只可說是捉住了漢學的緒餘，在努力做整理爬梳的工夫。至於章學誠所說的「浙東史學」與「浙西經學」，在乾嘉以前雖大體有此分野，稍後也並未蔚然成宗。但如果放寬眼光來看，也可說浙東一派創作的學術史、人物史及方域史在中國史學中亦自有貢獻與地位。另外道咸以下興起的常州學派則從研究今文《公羊》走向了經世變法之路，在光緒初期發生了相當的影響，應可算是清學中的另一個異端了。

清末至今，百年以來，西力東漸，對於我中華學術文化造成了極大的震動。

由於國力不濟，西學本可帶給學術思想界以新鮮的刺激，結果船堅礮利打垮了民族自信，舉國只知崇人蔑己，政治革命、文化革命、社會革命一波波發生，國家社會長處於騷動之中，並不能如六朝隋唐般，從容吸收消化外來的文明，反而因盲目粗魯的移殖與破舊納新，連自己本有的根基也大受斲傷。此種震動與變化，在中國已往學術史上絕無前例。

中國學術文化自周公、孔子以來已有三千年之積累。過去的歷史，證明中華民族有足夠的文化力量越過重重挑戰。當西方學術文化的花葉穩固地植立在中國文化的土壤之上時，也就是中國傳統學術的新生之日！至於其具體的內容，則無法預指。

叄、經與經學

「國學」的內容逐步充實開展，已如上述。早自魏、晉以來，「國學」便大體被區分爲經、史、子、集四種項目。其中經部在中國學術中地位崇高，被視爲古先聖王經世政治之正典，又爲全部學術文明的開端，其重要性比諸史、子、集爲遠過。在此即先介紹經部。

先談什麼叫作「經」。《說文》云：「經，織從絲也。」經本是織布縱貫的絲線，先經後緯，密綴成布，所以「經」字引申而有「綱紀」的意思。經書即種種記傳雜著的宗本綱紀之所在。雖說宗本綱紀已有推重的意味，但「經」字原先絕非專指儒家重視的那幾本經書，而是泛指各種具有綱紀性質的書本篇章。比如《墨子》書中辨名的一組篇章，其中精簡扼要的一篇即稱〈經〉，相對而來解析推詳的一篇則稱〈經說〉。《韓非子》〈外儲說〉諸篇，也有這種本末主從的關係，所以各篇之中特別注明那些部分爲「經」。《管子》書中〈牧民〉、〈形勢〉等諸篇也標名「經言」，其他各篇則稱「內言」、「外言」、「短語」、「雜說」之類。可見所謂「經」並非儒家所獨有。同樣的，儒家《詩》、《書》等幾本重要的典籍，陸續作有許多傳說訓詁的雜著，於是學者漸以「經」字稱其本書，這才有了儒家的群經。《荀子》〈勸學篇〉曰：

> 學惡乎始，惡乎終？曰：其數則始乎誦經，終乎讀禮。《書》者，政事之紀也。《詩》者，中聲之所止也。禮者，法之大分、類之綱紀也。故學至乎禮而止矣。

這是儒家書籍中第一次出現與後代觀念脗合的「經」字。孔、孟則但言《詩》、《書》，不言「經」。應該說，這樣的用法直到戰國之晚葉才漸漸有之。秦焚書坑儒，盡滅「《詩》、《書》百家語」；漢則振興儒術，立五經博士，專門講習；於是《詩》、《書》舊籍成爲學者研求的主腦，漸次獨占了「經」名，甚至「經」字也被賦予神聖的意味，所謂：「聖人制作曰經。」所謂：「經也者，恆久之至道，不刊之鴻教也。」從此經書只指王官舊傳的幾部典籍，不再兼涉其他，而經學也正式成立。

談到經書，一般常說六經，或說五經。到底先儒所重、王官所傳的經典是那幾部？這個問題牽涉到學術本原，需要稍加分說。孔子教伯魚學詩、學禮；又曰：「興于詩，立于禮，成于樂。」子所雅言則惟《詩》、《書》、執禮；可見孔子心目中的重要典法舊章不外《詩》、《書》、禮、樂。周公制禮作樂，禮樂爲周文明之精神所在；禮見爲盤旋之儀節，樂見爲諧和之曲律，早先並無成文；而祭祀宴饗之樂辭，記錄下來即是《詩》；一切王朝行政施教的規矩禮度、故事先例，記錄下來即是《書》。《詩》、《書》、禮、樂即是有周政教規模的四大柱石。所以《詩》、《書》、禮、樂四者確是當時的最要政令，最大學問。孔子所宗所仰、所學所教，不外乎此。相傳孔子成《春秋》，而亂臣賊子懼。其實《春秋》是亂世的實錄，因魯史舊文修編而成，意在警惕無道君臣，性質與《詩》、《書》、禮、樂有異。孔子亦從不曾以《春秋》教弟子。《春秋》與《詩》、《書》、禮、樂並舉而爲五，這是看重孔子行道設教之功的人突破傳統的安排。孟子最先褒揚《春秋》，到了荀子，便有提昇《春秋》上躋《詩》、《

書》、禮、樂的作爲：《荀子》〈勸學篇〉：

> 《禮》之敬文也，《樂》之中和也，《詩》、《書》之博也，《春秋》之微也，在天地之間者畢矣。

又〈儒效篇〉：

> 聖人者，道之管也。百王之道一是已。故《詩》、《書》、《禮》、《樂》之歸是矣。《詩》言是其志也，《書》言是其事也，《禮》言是其行也，《樂》言是其和也，《春秋》言是其微也。

可見儒家後人一手將《春秋》推上了一個新地位，孔子之地位也直追周公。這大約已是戰國晚期的事。至於《周易》，雖然也是周初的產物，但它的性質更與《詩》、《書》等大不同。它是占卦吉凶的推驗書，只是術數小道，無關文教大端，所以孔、孟、荀都不曾推譽之。把它與前五者合一而爲六，大大擡高它的地位，應該是著眼於其書後來附入的幾篇兼糅儒、道義理高妙的傳上，而這或許卻是由道家之徒促成。今日所見惟一的並舉六者並又正式提出「六經」一詞的先秦文獻是《莊子》〈天運篇〉：

孔子謂老聃曰：「丘治《詩》、《書》、《禮》、《樂》、《易》、《春秋》六經，自以為久矣，孰知其故矣。」

此處虛託孔子，容易使人誤會孔子已講六經，其實這是莊子後學在戰國末期所說的話。另外《莊子》〈天下篇〉也並舉六者。《周易》到此也得到了它的新地位。所謂「六經」，至此遂正式形成了。

入漢以後，六者並舉已成習慣。但因爲禮書雖具（即《儀禮》，寫成不早），而樂譜不傳，所以「六經」之名似不符實。於是漢人常言「六藝」、「六術」，而不言六經。其後漢武帝始置「五經博士」將勵經學，群經仍返本而爲五。

然則後世何以又有「十三經」之名？這是經書連類擴增的結果，也經歷了長時間的運化。原來漢人於《禮》但知《儀禮》，於《春秋》偏信《公羊傳》；由於古文經傳間出，師法家法紛起，在漢代屢屢發生爭立博士的爭議，世儒所知所見漸廣；到了魏晉南北朝，由於鄭玄、王肅經注的頡頏，以及南學、北學風尚的分歧，經學重心更次第轉變；於是唐修《五經正義》時，《禮記》正式取代《儀禮》，《左傳》正式取代《公羊傳》，五經的結構遂有重大改動。不過唐人並不以經術爲功令，對經書的看法也比較寬舒：徐堅《初學記》中已列「九經」，把《周禮》、《儀禮》、《禮記》平等看待，《左傳》、《公羊》、《穀梁》平等看待；唐文宗時刻經本於太學，所謂「開成石經」，更已收有「十二經」，連《論語》、《孝經》、《爾雅》亦在內。這也遠有淵源可尋。遠在漢代，《論語》、《孝經》、《爾雅》即已被視爲經學的入門參考讀物，由劉向《七略》已將它們附錄在「六藝略」之末可知。倘爲推廣學術，將它們逕升爲經自無不可。至於《孟子》，其學術地位可追《論語》，唐人如韓愈已極推重，唐肅宗時楊綰亦曾正式上疏請以《孟子》爲「兼經」。宋代以後，程、朱講學盛稱《論》、《孟》，朱子更將《論》、《孟》、〈學〉、〈庸〉定爲「四書」大加鼓吹，《孟子》地位益固。南宋光宗以還，「十三經」之稱便正式出現。其實眞要探究「十三經」的本質，《禮記》是「記」，《左傳》、《公羊》、《穀梁》是「傳」，《論語》、《孟子》是「子」，《爾雅》近似詞典，與原始意義的「經」都是大有距離的。

經書原先既是先王之政典，由王官執掌，其作者便是官史之屬，大多無可確指。《詩》三百五篇，原作者確可考見的只有四篇。這是因爲作者主名恰被寫入歌辭，意外獲存。其他誰作某詩的說法見於〈詩序〉者多不足信。《書》雖號爲盤庚籲衆民之辭、周公告先王之辭、平王命文侯之辭等等，仍當出於官史之手。《周禮》、《儀禮》，昔人以爲皆作於周公，其實二書成書甚晚，已到戰國季世，不可能上攀周公。《禮記》是文獻合集，一部分出自先秦，一部分作於漢儒，經由戴聖選編以成，但各篇作者仍不可知。《春秋》相傳爲孔子所作，其實孔子措手不多，主要體段仍是魯史舊文，所謂「其事則齊桓、晉文，其文則史，其義則丘竊取之。」《易》雖號爲伏羲畫卦、文王作辭、孔子序傳等等，其實全無可徵。三傳似有主名矣，而皆有疑點。《孝經》、《爾雅》，猶託周公、孔子、曾子，一樣無憑。惟《論語》、《孟子》本屬子書，主名明確清楚，而眞正執筆記辭者仍多異說。要之，經書作者誰屬雖不能深知，但經書的價值並不因此減損；無論是六經或是擴增爲十三經，整個經典系列所表現出來的文教理想，正是周公、孔子以來的優良傳統，也是中國文化的主流價值所在。論義理之深醇，論文章之精當，經書都有很高的成就。研究中國文化，經書必是根本。

在漢人的觀念中，孔子與六經都有密切關係。《史記》中說孔子曾經「刪《詩》《書》，訂《禮》《樂》，贊《周易》，修《春秋》」，換言之即六經都經孔子手訂。這當然頗不可靠。不過照他們的想法，六經正是一套有意義的組合，並不只是幾部古籍的湊泊。通讀六經，學到的不是點點滴滴的知識，而是天地人間、政治社會、自處相處的大道理。《史記》〈自序〉云：

《易》著天地陰陽四時五行，故長於變。《禮》經紀人倫，故長於行。《書》記先王之事，故長於政。《詩》記山川谿谷禽獸草木牝牡雌雄，故長於風。《樂》，樂所以立，故長於和。《春秋》辨是非，故長於治人。是故《禮》以節人，《樂》以發和，《書》以道事，《詩》以達意，《易》以神化，《春秋》以道義。

這一想法卻可使我們憬悟，理想的經學教育的重心是什麼。它不當是分裂的智育，而應是一種和合的人文精神教育。讀《詩》可以學到溫柔敦厚，學會「興、觀、群、怨」，學到情感的調和發抒，並在《樂》教中得到薰陶默化。讀《易》可以領會天地陰陽的變化莫測，可以學到人道與天道的際合，可以學到思想的深沈融通。讀《禮》可以學會行爲的種種規範，學到恭儉莊敬，學得人生中大群相處的心情與態度。讀《書》與《春秋》則可以學得事物的道理，政治的原則，學得世事洞明，人情通達，學得判斷是非得失、大小輕重。總體來說，經學教育並不爲傳授歷史知識或哲學知識或文學知識，更不是政治學、社會學、倫理學，卻包蘊了文、史、哲、政治、社會各種學問，充滿了知性之光，渾化成德性之美。要談人文修養，經學當是首務。

漢人推重六經，宋人多稱四書。漢人習言「周孔」，宋人好舉「孔孟」。這一轉變的意義是：漢人比較關注經學在指導政治方面的實用，而宋人比較關注經學在指導人格方面的實用。從經學傳統上言，漢儒比較接近先王原旨；但從經學精神上言，宋儒並不失先聖矩矱。漢人稱孔子爲「素王」，宋明人尊孔子爲「至聖先師」，顯然前者富有政治意味，後者富有教育意味。由於四書比六經要簡明親切，又更能把握所謂人文精神教育的體要，所以今人重視四書更在六經之上。但六經的博雅仍是無可取代的。

中國經學研究的黃金時代，應該是漢代、宋代與清代。漢代經學由官方提倡獎勵，仍有古昔「王官學」的遺影，學術、政治，相與為一，學術講習中不忘指導政治，政治實跡中常見經術作用。王充《論衡》云：「夫五經亦漢家之所立，儒生善政大義皆出其中。」這正講出了當時事實。其長處是眞正做到了「通經致用」，其缺點是經術與政治和利祿結合，導致博士學官「專己守殘」，排斥古學，自己卻又落入家派樊離之中，落入分文析辭碎義飾說之中，學弊深重。魏晉南北朝時期，政治因循苟且，教化徒託空言，玄、佛興盛，經術沈寂。南朝因著門第世族禮法的要求，尚知重視禮學，尤重《儀禮》〈喪服〉；北方則因著胡漢雜處施政定制的需要，特別精研《周禮》；所以此一時期禮學的研究尚見精采。唐人的經學成就，表現在《五經正義》一大結集上，雖然一百七十卷的《正義》之撰定展現出宏圖密致，巍然傳宗，千古不廢，但如此經學只成其為盛世的粧點，少與身世相關。人生的指引與寄託，仰則依賴佛家，俯則依賴文學。朝廷事功雖盛，多是霸道，與經術顯有隔閡。宋代經學則又是一番新局面。宋儒頗有意來振興經學，使經學再成為人生的指導，政教的南針。他們確能丟開以往的束縛，把經、史、道德、文章、政事會通，寫出簡切明朗的新經義，也兩度推動變法；更重要的是，經學中別出了所謂「理學」，深研義理，關注性道問題，講求心性工夫，融會佛、道而把儒家的「內聖」之學推進到精圓的境地。但到了晚明，理學末流空談袖手之弊大著，激成清學之由虛轉實。清初諸儒明古音、辨《尚書》、辨《易》圖、考〈禹貢〉，大氣細心，有體有用。惜乎這種篤實之風，在異族高壓統治的驅迫下，慢慢轉成死板的考據訓詁。雖然他們孜孜矻矻埋首故紙堆中，對經籍之整理、校勘、輯佚、訓釋有極大貢獻，但如此「樸學」，適足見其拘囿不通，也是另一種偏弊。

以下分說五經。

(一) 周易

十三經中，號為先王之政典、周文明之節目者，主要是《詩》、《書》、《禮》、《樂》，另又加上了記史辨是非的《春秋》，占卦論吉凶的《周易》。

六經中，《樂經》早亡，只存五經。漢代古文家列六經之序爲《易》、《書》、《詩》、《禮》、《樂》、《春秋》。這是以作書時代先後爲序的。惜乎他們所認定的寫作時代實在不夠正確。無論如何，此一順序傳承既久，早成習慣，我們也仍以此序來介紹五經。

先論《易》之名義。《易》，又稱《周易》，也稱《易經》。何以謂「易」？《易》〈繫辭傳〉云：

生生之謂易。

則「易」是變化日新、生生不息之義。也就是取義於變易。爲什麼是變易？鄭玄注云：

易者，揲蓍變易之數可占者也。

因爲《易經》本是用蓍草排列分合占算吉凶的筮法的記錄册，而筮法中一草之微即影響到每一爻、每一卦，從而影響到吉凶禍福，所以《易經》眞是一本記錄難以捉摸的變易之妙的妙書。至於鄭玄〈易贊〉又說：

易一名而含三義：易簡一也，變易二也，不易三也。

則未免爲誇張《周易》的偉大而把它張皇了。而稱曰「周易」者，當是因爲它是周朝的占術書的關係：漢人〈易緯〉云：

> 因代以題周。

唐孔穎達《正義》云：

> 以此文王所演，故謂之《周易》，其猶《周書》、《周禮》題周以別餘代。

談的都是此意。考《周禮》中曾經提到所謂「三易」，一曰《連山》，二曰《歸藏》，三曰《周易》。「連山」、「歸藏」是何命義？又是何等樣書？便難論了。漢人通常將之理解爲夏朝及殷朝的占術書，正與《周易》鼎足而三。這也只是想當然耳，毫無根據。另外，《易》也概稱爲「易經」，取其爲五經之一。要注意的是：《易》中原有經也有傳，昔人所稱《易經》常把〈易傳〉也涵括在內。爲眉目清楚計，《周易》上下經最好逕稱〈卦爻辭〉，十個傳則另稱〈易傳〉。漢人稱十傳爲「十翼」，意指其爲《易》之羽翼，則是一個美稱。

(二)

再談《易》的內容問題。先說上下經。《易經》本是記載占筮的卦爻變化及吉凶變化的書，它包括了基本筮法六十四卦的整套筮辭，共有六十四條卦辭，以及每卦六爻共三百八十四條爻辭。爲什麼卦數是六十四？因爲以陰「- -」陽「—」兩種符號作成每六個一組的組合，其全部的搭配方法總共爲六十四種，即數學排列組合式：

$2^6=64$

其實古人最早只言八卦，八卦則只是三爻的組合，也是以陰爻、陽爻兩者搭配而成八式。八卦再重爲六十四卦，也可理解爲：

$2^3=8$　　$8^2=64$

現在先把六十四卦中第一卦〈乾卦〉的卦爻辭列舉於下，作爲《易》卦形式的說明：

☰乾　元亨，利貞。

初九　潛龍，勿用。

九二　見龍在田，利見大人。

九三　君子終日乾乾，夕惕若，厲，无咎。

九四　或躍在淵，无咎。

九五　飛龍在天，利見大人。

上九　亢龍，有悔。

此卦是一個純陽之卦，即每一爻都爲陽爻。先畫出卦形，再題卦名，再列卦辭。卦形由六爻組成，數法是由下往上數，最下的爲初爻，最上的爲上爻，中間則是二、三、四、五爻。六爻皆陽是〈乾卦〉，如初爻變陰即成䷫形，是爲〈姤卦〉。如第二爻變陰即成䷌形是爲〈同人卦〉。如第三爻變陰即成䷉形是爲〈履卦〉。如第四爻變陰即成䷈形是爲〈小畜卦〉。如第五爻變陰即成䷍形是爲〈大有卦〉。如上爻變陰即成䷪形是爲〈夬卦〉。卦名的「乾」字，與第三爻「君子終日乾乾」一句有關係，亦即卦名與卦辭、爻辭通常有所呼應。譬如〈姤卦〉上爻即有「姤其角」之句，〈同人卦〉各爻有「同人于門」、「同人于宗」等句，〈履卦〉各爻有「素履」、「履道坦坦」、「履虎尾」等句。卦辭大體論斷一卦之吉凶，如〈乾卦〉云：「元亨，利貞。」有時也以事類比象的方法表示，如〈履卦〉云：「履虎尾，不咥人，亨。」又如〈小畜卦〉云：「亨。密雲不雨，自我西郊。」卦辭之後，分列六爻的爻辭。爻辭上的標號「初九」「九二」「上九」之類，初、二、上等是標明爻位的，九則表示其爲陽爻。如爲陰爻，則用六，如云初六、六二、六三、上六等。爻辭亦大體說明一爻之吉凶，一方面與本卦各爻整體相配，一方面也與本身爻位的高低密切相關。譬如〈乾卦〉，取象於龍，六爻皆以龍爲喻，但因著爻位的高低，各爻的吉凶仍有出入：初爻在下，曰「潛龍」，宜「勿用」。上爻在上，曰「亢龍」，或「有悔」。第二爻在下三爻之中，第五爻在上三爻之中，居中最貴，故云「見龍在田，利見大人」，「飛龍在天，利見大人」。第三爻與第四爻正在上下交替之位，吉凶不定，故云「朝乾夕惕」，「或躍在淵」，而終歸爲「无咎」。一般而言，各卦初爻因位置在下，爻辭多見足、趾、尾、井、谷等字而有潛、陷、窮、極等義；上爻位置過高，爻辭則多表高、亢、終、過、傾、危之義，甚至衍生征伐、折首、滅頂等義；第二爻、第五爻居中，爻辭常稱中、稱吉，第五爻更常有君王之義；第三爻、第四爻不上不下，爻辭則常有猶疑、彳亍、憂戒之義。六十四卦皆如〈乾卦〉，形式整齊，義旨深妙；舉此一例，可概其餘。

再談〈易傳〉內容。〈易傳〉共十篇，計〈彖傳〉上下、〈象傳〉上下、〈繫辭〉上下，〈文言〉、〈說卦〉、〈序卦〉、〈雜卦〉。古本《周易》十傳全部附載在經文最後，但自鄭玄、王弼以來，〈彖傳〉、〈象傳〉、〈文言傳〉皆已打散分附於每卦每爻之下，使得經、傳混淆不分，惟有〈繫辭傳〉等數篇仍在經後。十傳中，只有〈彖傳〉、〈象傳〉稍稍疏通經文，〈文言傳〉就經文〈乾〉、〈坤〉二卦詳加闡釋發揮，其他各傳，或說《易》理，或說卦象、卦序、卦名卦義，都不是解說經文之作，體例實與一般的經傳不同。若要讀通《易經》，必須先行了解先儒說《易》的義例，否則將連〈易傳〉也讀不通。大體而言，〈彖傳〉、〈象傳〉常以卦象、卦德、卦體、爻位等觀念配合解說《易》卦吉凶。卦象是以天地間八種物象比附於八卦，卦德則又從卦象推衍，由此復可輾轉推衍無窮，如：

乾為天，為健，為馬，為首，為父。
坤為地，為順，為牛，為腹，為母。
震為雷，為動，為龍，為足，為長男。
巽為風，為入，為雞，為股，為長女。
坎為水，為陷，為豕，為耳，為中男。
離為火，為麗，為雉，為目，為中女。
艮為山，為止，為狗，為手，為少男。
兌為澤，為悅，為羊，為口，為少女。

卦體之說則是將六爻之卦分成上下兩體，成爲兩個三爻之卦，說者可再將八卦的卦象、卦德套入合解，如：

〈晉〉，上離下坤，明出地上，順而麗乎大明。
〈明夷〉，上坤下離，明入地中，內文明而外柔順。
〈需〉，上坎下乾，險在前也，剛健而不陷。

爻位之說則是將各爻之間的關係作複雜的規定而論其「當位」或「不當位」，或

「應」或「敵」，或「乘」或「承」，由此而判其吉凶，如：

陽爻居一或三或五爻為「當位」，吉。

陰爻居二或四或六爻為「當位」，吉。

一、四爻或二、五爻或三、六爻陰陽相配為「應」，吉。

陰爻位在陽爻之上為「乘」，不吉。

陰爻位在陽爻之下為「承」，吉。

靈活運用此等概念，說易者即可順利將每卦每爻吉凶休咎作適當的說明。不但卦爻辭因此而得理解，也從此推得了不少富含義理的教訓。另外〈繫辭傳〉及〈說卦傳〉則從《易》道中引申出不少天人性命之理，有相當精粹的議論。

(三)

本節擬談《易》的撰作問題。

《易》之初始，惟有八卦，後又重為六十四卦，用以占筮。自古相傳伏羲畫卦，重卦則或云伏羲，或云神農，或云夏禹，或云周文王。伏羲等都是傳說中的遠古帝王，渺茫難徵。近人根據甲骨的出土，以為殷人用卜，周人用筮，則八卦的出現當在殷、周之間，並不極古。司馬遷屢言「西伯拘羑里，演《周易》」，把重卦之事歸諸周文王，似乎是一比較合理的說法。

再論作〈卦爻辭〉之人。〈繫辭傳〉對此已有了初步的推想，傳云：

《易》之興也其於中古乎！作《易》者其有憂患乎！

《易》之興也，其當殷之末世、周之盛德邪？當文王與紂之事邪？故其辭危。

這是因為從經文內容涉及的事情以及經文表現的某些意態看來，〈卦爻辭〉的寫作時代正在周初殷末。譬如〈既濟〉九三云「高宗伐鬼方」，鬼方即玁狁，西周初尚稱鬼方；〈離〉上九云「王用出征有嘉折首」，折首意為斬首，西周早期常用之詞；又〈益〉六四云「利用為殷遷國」，〈升〉六四云「王用亨於岐山」，〈晉〉卦辭云「康侯用錫馬蕃庶」，種種情事都斷當在武王時。所以馬融、鄭玄以下的學者多主張上下經作於文王、作於周公，基本上可說離事實不遠。

再論作「十翼」之人。漢人云孔子「贊《周易》」，以為〈易傳〉皆出孔子。直至宋人，始生懷疑。何以可疑？無論從內容思想看，或從外在事證看，〈易傳〉都是戰國中期以後的作品，並且絕非一人所作。〈彖傳〉、〈象傳〉或許稍早，〈序卦〉、〈雜卦〉或許尤晚，但大略總該撰作於戰國後期左右。內容思想方面，譬如〈繫辭傳〉中言道、言天、言鬼神，都帶有自然形上之色彩，與孔子《論語》中用法大不同，反與後期莊老道家相近；又如〈繫辭〉以下諸傳盛用陰陽觀念，非戰國以前可有，〈說卦傳〉甚至以《易》卦與五行方位比附，充滿陰陽五行色彩，更似受到鄒衍的影響。外在事證方面，譬如戰國中期魏襄王的墓曾在西晉太康年間被發現，墓中藏有不少古書，其中的《周易》尚只有上下經而根本無傳，可見直到戰國中期〈易傳〉恐怕尚未面世；又如《左傳》記魯穆姜論「元亨利貞」四德，敷陳甚美，今《易》〈文言傳〉大體襲取其文，僅更易數字，可見《左傳》面世之後〈文言傳〉始能作出，也就是須到了戰國中期。綜合各種證據判斷，〈易傳〉「十翼」的撰成，早者也在戰國，遲者甚至入漢，既非出於一人，也與孔子無關。

(四)

最後一談《易》的價值。

《易經》本爲周代的占術書，也可說是某種術數小道，本身原沒有太大的價值。後代各種術數如五行星曆、《河圖》、《洛書》，往往牽連《周易》爲說，使得《易》學中羼雜了太多術數成分，實在不是《易》學的正道。姑舍術數不論，《易經》本身，於今而言則有一定的史學價值與哲學價值：

史學方面，《易》既爲三千年前西周初期的作品，所涉史事，所及名物，所用語詞，縱然太過簡略，也都可作爲考古研究的依據，等於是珍貴的古代史料。譬如〈既濟卦〉中「高宗伐鬼方」的記載，〈明夷卦〉中「箕子之明夷」的記載，以及〈歸妹卦〉中「帝乙歸妹」的記載，都有助於學者研討古史。

哲學方面，《易經》的基礎思維如物極必反、居中守貞，都已涵蘊中國思想的精旨；六十四卦始於〈乾〉〈坤〉而終於〈既濟〉〈未濟〉，則表現出宇宙生滅周而復始的深沈思理，未可輕易忽略。另外卦辭、爻辭中的若干精語如〈坤卦〉云「履霜堅冰至」，〈恒卦〉云「不恒其德，或承之羞」，〈復卦〉云「反復其道，七日來復」，也都富含義理，頗可作爲人生處世的指引。

但若能從學術史的眼光來看，則戰國所作〈易傳〉的學術價值更遠大於《易經》卦爻辭本身。因爲〈易傳〉把陰陽觀念接上了莊老的陰陽氣化宇宙論，又打通到孔孟的仁義性善論，使得儒、道思想得以融匯，人生界、宇宙界得以貫通，建立起中國儒家式德性一元的新宇宙論，巧轉莊老的偏差，凸顯孔孟的精義，把「天人合一」的思想推進到精善的程度。〈易傳〉雖出於不知名人之手，他們也只是由《易》道出發來縱論天道人道，神化感通，言語也嫌片斷，卻能在有意無意之間把儒、道思想吸收融化，把中國思想更向前推進一步；論其成就，眞可與〈中庸〉相提並論，深值後學者之崇仰精研。

尚書

(一)

先論《尚書》名義。

《尚書》，先秦但稱《書》，漢人始多稱《尚書》。《書經》之名，則晚到唐、宋以下方始出現。何以稱「書」？因為此經中所收的文獻，基本上全是政府中的公文書，而公文書在從前就只稱一個「書」字。「書」字在後世是所有書籍的通名，但在三代兩周時「書」字還只是一個專名，專指政府公文書。《詩》〈出車〉：「豈不懷歸？畏此簡書。」《書》〈召誥〉：「周公乃朝用書命庶殷。」此中「書」字都是公文之意。把若干重要公文書結集成編，與其另起一名，不如就稱《書》為簡單恰切。孔子教弟子讀《詩》、讀《書》，所讀者就是若干公文書的選集，或可說就是今本《尚書》的前身，並非一般書籍。

至於「尚書」之名，則較為晚起。加一「尚」字成為雙名，應該是為了指稱的明白方便。何謂「尚」？尚者，上也。不過上不是至高無上的上（鄭玄等說），也不是皇上的上（王肅等說），而是上世、上古的上。僞孔傳云：

以其上古之書，謂之「尚書」。

這一解釋比較最爲平正可取。

必須說明的是：「尚書」之名居今言之也有名不符實之嫌。因爲今本《尚書》裡面不乏著作時代較晚的作品，並不全出上古；而且其中也有若干述古想像之作，並非當時眞文獻，換言之並不是眞正的公文書。惟古人並不能理解到此。

(二)

再談《尚書》的內容問題。

《尚書》收集許多單篇文件而成書。這些文件，縱然不全是眞正古代公文，大體都是以專門文件的形式撰寫的。譬如〈召誥〉，記召公經營洛邑之事並告誡成王之辭。又如〈顧命〉，記成王臨終命使臣下之辭並治喪之事。所以《尚書》實可視作另一形式的史書，亦經亦史。當然《春秋》更顯然是亦經亦史的史書，不過兩者體式不同；朱子說：

《春秋》編年通紀，以見事之先後；《書》則每事別記，以具事之首尾。此一分辨非常清楚。《春秋》記於史官，《尚書》大約也出於史官之流，然而《漢書》〈藝文志〉的說法則不可信。〈漢志〉云：

> 左史記言，右史記事，事為《春秋》，言為《尚書》。

其實言與事根本無法截然劃分，自古也不聞有左史、右史之制。只可說，相較於《春秋》，《尚書》中記言的成分確是占得多。

傳世通行的《尚書》，究有多少篇？此一問題並不像表面上那樣容易回答。一般常提及的說法，或云二十八篇，或云二十九篇，或云五十七篇，或云五十八篇。其中牽涉到《尚書》的三種不同的傳本，即「今文《尚書》」、「古文《尚書》」、「僞古文《尚書》」。下面便從此關鍵切入細談。

今文《尚書》是漢代今文博士們所用的傳本，源出伏生壁藏，殘缺不完，亡去數十篇，僅有二十九篇。漢人講習甚盛，後來派分爲歐陽氏、大夏侯氏、小夏侯氏三支，都有章句，各立博士。不過魏晉以後三家說都已不傳。經文二十九篇則獲存。此二十九篇中，漢人一度把〈顧命〉與〈康王之誥〉兩篇合而爲一，所以也可以數作二十八篇。

古文《尙書》是伏生傳《書》之後又得的《尙書》古本，景帝時從孔子故宅的壞壁中發現。字作蝌蚪文，但仍可識讀。據當時記載，它雖然也屬殘本，卻比今文家所用之本多出了十六篇。又一說云多出二十四篇。這是因爲其中有一篇〈九共〉，由九小篇組成，若計一篇則得十六，若計九篇則得二十四。比讀經文字句，也有若干地方與伏生本不同。譬如伏生本〈酒誥〉脫去一簡，〈召誥〉脫去二簡，每少一簡就脫落二十多字。所以它當然算是一種珍貴的古本。可惜今文博士們對它多所排猜，僅在平帝時一度得立學官。雖有東漢碩儒馬融、鄭玄爲之作注，也只注與今文重同之篇而未注今文所無之篇。慢慢此十六篇便全部亡失了。連馬、鄭之注也在北宋時全部失去。古文《尙書》至此只成了經學史上的一個空名。此古文《尙書》傳本，桓譚說共五十八篇，班固說共五十七篇。這是因爲計算上有出入。它比今文二十九篇多二十四篇，另外〈盤庚〉等篇古文亦拆成數篇，所以總數是五十八篇。但十六篇中〈武成〉一篇亡佚最早，班固已不及見，所以他又說是五十七篇。

僞古文《尙書》則是東晉時梅賾獻上朝廷的另一本古文《尙書》。雖然它也有一個煞有介事的傳授源流，似乎從西晉初鄭沖而蘇愉而梁柳而皇甫謐直到梅賾一路傳下，但是宋人吳棫以下始終懷疑其書爲假，主要理由是文從字順不類古經。到了清儒閻若璩，終於運用精密的考證學方法，以一百二十八證證明其書爲僞造拼湊，徹底將它的地位摧毀。不過此本自問世以來早獲世人尊信，唐人《五經正義》中《尙書》亦用此本，所以雖是僞書卻仍能傳讀至今。此本的篇數也是五十八篇，除了將伏生二十九篇拆成三十三篇外，其他〈大禹謨〉、〈五子之歌〉等二十五篇全屬僞造。不但經文僞造，全本五十八篇的孔安國傳也全屬僞造。孔安國是漢景武時研讀孔壁古文《尙書》的名儒，顯然這一僞本存心冒充孔壁古文《尙書》。時至今日，僞造的二十五篇爲固然連經帶傳都可不讀，然而二十九篇（已拆成三十三篇）的僞孔傳還不失爲一個可用的《尙書》早期注本，仍宜參讀。

如此說來，眞正可信爲先秦舊物的《尙書》仍只有二十九篇。二十九篇依時事先後又分爲：

虞夏書　四篇

商書　五篇

周書　二十篇

此等分類，似乎從伏生起就已有之。「虞夏書」中，〈堯典〉記堯、舜仁政及禪讓事，〈皋陶謨〉記舜與禹、皋陶、伯益等謀議國事之言，〈禹貢〉記禹治水後定山川名稱及九州貢賦事，〈甘誓〉記夏啓伐有扈氏大戰於甘之誓師辭，都屬堯、舜、禹時代的古史；「商書」中，〈湯誓〉記商湯伐夏桀之誓師辭，〈盤庚〉記商君盤庚遷都于殷時告誡百姓之辭，〈高宗肜日〉記商君祖庚祭高宗武丁時祖己誡之之辭，〈西伯戡黎〉記西伯昌滅黎時祖伊告誡殷紂之辭，〈微子〉記殷亡時微子、箕子、比干謀議之辭，都屬殷商時代的古史。昔人都以爲這些篇章是眞正的公文書，這些古史是信實的歷史，其實不然。這些應該都是追述想像之作。倒是「周書」二十篇中含有許多周初眞實文獻，史料價值最高。

僞孔〈書序〉曾說古代公文書的體裁分爲典、謨、訓、誥、誓、命六體。從二十九篇《尚書》看來，篇名中標示此等字樣的固不少，未標示的也很多。而從各篇的內容看來，名目的確也大略顯示出辭氣的不同：曰「謨」者常見君臣謀議之言，曰「誥」者多是在上者昭告在下者，曰「誓」者全是出師之誓辭，曰「命」者全是命使敦勵之言。可見六體之分雖未必是古代公文書之定式，多少也表現了古人記言記史的常規。

韓愈〈進學解〉中有句：「周〈誥〉殷〈盤〉，詰屈聱牙。」周〈誥〉指「周書」〈大誥〉等篇，〈殷盤〉指「商書」〈盤庚〉等篇。由是可見《尚書》之難讀。三千年前的作品，文辭古奧已不免，再加上公文書體製典重，更非俄頃所可領會。所以學者欲進修《尚書》，最好依循注疏細心深入，不宜求功太切。

(三)

此節專論《尚書》的編撰問題。

《尚書》各篇如係眞正公文書，應當由各代不同的記史者寫下，這是不成問題的。不過，《尚書》中確有若干作品，其寫作時代並不像其內容所指涉的時代那樣早。尤其「虞夏書」、「商書」之中那些記敍堯、舜、禹、湯事蹟言行的篇章，仔細觀察，便知不像上古的產物。譬如〈堯典〉、〈皐陶謨〉二篇，開頭便說「曰若稽古」，明屬追述語氣。文辭平易，比所謂「周〈誥〉殷〈盤〉」易了，不可能遠出唐虞之世。述巡守以四方配四時，又稱「五服」、「五辰」、「五言」，已有五行方位觀念，當出戰國陰陽五行說形成以後。所以堯、舜禪讓的美談雖明載於《尙書》，恐怕不宜遽信爲眞。又如〈禹貢〉，雖爲中國最早地理文獻，但九州、五服的觀念相當宏遠，比西周時人的地理觀念還要進步，似乎難信是夏禹時所能有。且九州中的梁州，即今川、康一帶，開發於春秋後期，更早之前怎能有關於梁州的許多地理知識？其言梁州貢鐵鏤，也像是春秋、戰國間鐵器盛行之後的論調。不止此也，甚至如詰屈聱牙的「商書」〈盤庚〉一篇，也非商君盤庚當時眞實文獻，因爲篇中曰殷不曰商，這是遷殷已久才養成的習慣；曰盤庚不曰父庚或祖庚，這是數代以後才通用的稱呼。所以〈盤庚〉的寫作時代當或已到了殷末周初。總體而言，「虞夏書」及「商書」中的大部分篇章，早者不逾殷末周初，遲者已到春秋戰國，應該都是述古想像之作，並不出於當代史官。大約它們都撰作於後世慕古好文之人之手。

無論爲眞正公文書或述古之作，此等單篇文件，日久一定積聚了相當數目。倘若有人加以整編選纂，成爲一編，便即是《書經》的初編本了。古人都說《書經》編於孔子，共收百篇，如《漢書》〈藝文志〉云：

書之所起遠矣，至孔子纂焉，上斷於堯，下訖於秦，凡百篇。

還有某些誇張的說法，更進一步指稱《尙書》是三千多篇古公文書的精選本，如緯書云：

孔子求書，得黃帝玄孫帝魁之書，迄於秦穆公，凡三千二百四十篇。斷遠取近，定可以為世法者百二十篇。以百二篇為《尚書》，十八篇為《中候》。

諸如此類的論調，實在不可深信。《論語》中曾記孔子教弟子讀《書》，可見孔子頗爲看重古文獻。爲了教學，孔子編集若干重要公文書爲教本，也是可有之事。但究竟有無編《書》，又編集多少篇章，則並不能確定。《漢書》的說法其實並未深考。緯書說孔子選百二篇爲《尙書》，是又把它與成帝時張霸僞造的百兩篇《尙書》牽合，更爲荒唐。而且三千多篇的數目也不近情理。簡策繁重，世遠釁多，無緣保留如此之多。要之，孔子編《書》只能當作一個傳統說法來參考罷了。

至於今天傳下的二十九篇《尙書》，則確實是一個百篇本的殘餘。而此百篇本，可以斷定並不是孔子所編的。爲什麼？因爲其中現存的好些篇，顯然作於戰國以下，已在孔子身後，非孔子所能見及。最多我們可以說，這一個百篇本，可能是以孔子的初編本爲基礎由後人擴編而成的。「百篇」之數，是這個擴編本的篇數，不是孔子初編本的篇數。

何以知道二十九篇是百篇本的殘餘呢？《史記》〈儒林傳〉已云伏生傳《書》時，「亡數十篇，獨得二十九篇」，但並未明言百篇。到了東漢初，班固〈漢志〉才提出《尙書》百篇之說，王充《論衡》〈正說篇〉說得更明確：

> 孝景帝時，魯共王壞孔子教授堂以為殿，得百篇《尚書》於墻壁中。

他處又說：

> 至孔安國《書》出，方知有百篇之目。

顯然古文《尙書》出世以後，學者才因緣考知《尙書》原有百篇之多，經過西漢末劉歆的鼓吹，東漢初學者才紛紛知曉。這一百篇本《尙書》，當必纂成於秦火以前，而爲伏生今文二十九篇及孔壁古文五十八篇的共同祖本。可惜它已殘缺不完，再不能以完整面目面世了。

至於誰能來編纂此百篇本《尙書》？孔子既不可能，後儒也並沒有一個確切的說法。或許我們只可泛泛說是出於一位戰國中後期的好古明識之士之手。不過孔子的好古明識絕對是他的最佳先導。

(四)

再來談談《尙書》的價值。

《尙書》既收集古代公文檔案及述古之篇，當然其最大的價值應在史學方面。尤其是「周書」中〈大誥〉、〈康誥〉、〈酒誥〉、〈梓材〉、〈召誥〉、〈洛誥〉、〈多士〉、〈無逸〉、〈君奭〉、〈多方〉、〈立政〉、〈顧命〉、〈康王之誥〉等十三篇，無論從文體、語法、名物、史跡等各方面看來，無疑都是西周初年的作品，可與傳世周初青銅器上的銘文互證。現存西周初的眞實文獻，除了部分吉金文字外，就只有《易》〈卦爻辭〉與《詩》〈周頌〉、〈大雅〉中的若干詩篇；而《易》屬占筮，《詩》多頌悼；只有《尚書》，逕以許大篇幅直接記載周初文、武、成、康之際種種大政謀議，讀之可以充分了解周初的眞實歷史，君臣的擘畫經營，以及有周優越的政教精神。孔子屢歎「郁郁乎文哉，吾從周」，讀過「周書」，對此當會有深刻的體會。

談到政教精神，畢竟《尚書》本是政治文獻，君臣謀謨訓誥之中，蘊含著深美的政治理論與政治思想，足以作爲研究中國古代政治思想的重要憑藉；尤其可貴者，這些聖君賢相，已能夠在素樸的天道觀與宗教觀的籠罩下，開展了中國式的人道主義，也就是道德至上的觀念。夏、殷雖有天命，惟不敬德，乃墜厥命。惟有敬德勉行，才可上邀天眷而得長治久安。如此觀念，眞可說是中國文化史上的絕大光明。孔子倡仁德，而《尚書》中所見的周世，已經是仁德觀念萌發洋溢的明世，無怪乎孔子有「從周」之歎了。孔子有沒有說過「五誥可以觀仁」的話，固須存疑；（伏生《尚書大傳》云然。）但孔子教弟子讀《書》，當不僅是爲了一些歷史知識，則是無庸置疑的。

其實「虞夏書」中所記堯、舜禪讓及禹定九州等事，雖非信史，仍可表現中國古代的政教理想，不同於神話想像。放寬來說，這些篇章在研討中國文化史的時候仍有一定的參考價值。

詩經

(一)

先談《詩》的名義。

《詩經》之名晚起，原本只稱《詩》，因爲它本是若干詩篇的集結，順理成章便稱爲《詩》；這和《書經》本是若干公文書的集結，所以稱作《書》，是同樣的情形。《詩經》所收的詩有三百零五篇，舉其成數是三百，所以它也被稱爲「詩三百」。孔子說：「詩三百一言以蔽之曰思無邪。」說的即是《詩經》了。

世界各民族無不有詩。這種諧婉可歌的早期文學作品何以謂之「詩」呢？昔人多從音義會通，謂詩以言「志」，是以曰「詩」。〈毛詩序〉云：

> 詩者，志之所之也。在心為志，發言為詩。

朱子則把由志生詩的過程作了具體的描述：〈詩集傳序〉：

> 人生而靜，天之性也；感於物而動，性之欲也。夫既有欲矣，則不能無思；既有思矣，則不能無言；既有言矣，則言之所不能盡，而發於咨嗟詠歎之餘者，必有自然之音響節奏而不能已焉，此詩之所以作也。

要之，爲了表達胸中的情志，一般的言語還嫌不夠，富有張力的詠歎重沓及尾韻節奏等自然產生，這就成了詩。

《詩經》亦稱《毛詩》。這是因爲今日所讀經本是由漢人毛公傳下。漢代另有齊、魯、韓三家詩說，都屬今文，與毛公不同。三家說先後亡於魏、晉、唐、宋間，只有毛說獨傳。不過清代學者在三家詩說的輯佚上頗有成績。所以清儒的《詩經》學著作中，專標「毛詩」字樣的，都是謹守古文毛公家法的，如《毛詩稽古編》、《毛詩傳箋通釋》等；「毛詩」的詞義似乎變得比較狹窄。

(二) 再談《詩》的內容。

《詩經》是中國最古老的詩歌總集。其中收有西周初至東周春秋中期五百年間所作的各體詩歌達三百零五首。當時所有詩篇都可以合樂而歌唱，《樂經》當即是其曲譜，可惜樂譜早亡，只有詩辭傳下。三百零五篇詩共分四大部分：

國風	計十五國風	共一百六十篇
小雅	計七什	共七十四篇
大雅	計三什	共三十一篇
頌	周頌三什	三十一篇
	魯頌	四篇
	商頌	五篇

風與雅與頌的分別，由詩辭觀之，似乎「風」詩多是小巧精美的抒情詩，帶有各國不同的風味；「雅」詩篇幅較長，辭氣比較典重，有晏樂頌美之詩，尤多傷時

敍事之詩；「頌」詩則簡短古奧，辭氣肅穆，多屬祭祀頌贊詩。然而根據近古學者之研究，風、雅、頌三者之別本是音樂上的不同：「風」詩是各國的土風土調，所謂「風土之音曰風」；「雅」詩是周王朝的正音，所謂「雅之爲言夏也」；「頌」詩是宗廟中的舞樂，所謂「頌者容也，三頌各章皆是舞容」。所以十五國風應是帶有各地音樂特色的地方作品，二雅應是出自王都的雅正之音，三頌應是歌舞並作的莊嚴舞樂。至於小雅與大雅的不同，或許即如朱子所說，一個是「宴饗之樂」，一個是「會朝之樂」，辭氣音節自有些許出入。

如果將這三百篇詩的寫作時代詳加考訂，當可發現〈周頌〉所收宗廟祭歌才是其中最古老的作品，幾乎全作於西周初年。其次是大雅，大部分作於西周中期，亦有部分作於早期及晚期。其次是小雅，大部分作於西周晚期，有些甚至已入東周。最晚的是國風，大部分已作於春秋時期，只有小部分可能作於西周中晚期。另外，〈魯頌〉和〈商頌〉一個歌頌魯僖公，一個歌頌宋襄公，都已是春秋中期的作品。兩者與歌頌周初文王、武王的詩篇平列，實在有些不倫不類。大約因爲魯、宋兩國都能施用天子禮樂（鄭玄說），所以自創了一套宗廟樂舞，編

《詩》者也就姑且存之。

十五國風雖說是帶有各地音樂風格及地方色彩的後出作品，卻不宜直接說是各國的民謠（鄭樵說）。準以當時的社會狀況，士庶之間鴻溝仍在，田夫走卒隨口謳呼，不太可能升堂入室成爲士大夫階層社交活動中風雅的樂曲。比較合理的說法，是士大夫們從民謠中得到養分，採取了它的題材，它的聲樂，改造了它的形式，它的辭采，將之塑造成標準的雅化的詩歌。至於二雅及頌，當然都應是王朝卿士大夫所作。大雅的〈崧高〉、〈烝民〉二詩已明言尹吉甫作，小雅〈節南山〉自言家父作，〈巷伯〉自言寺人孟子作，其他各詩的作者則無法確考。漢人所傳《毛詩》各篇皆有小序，小序中往往指明何人作、何時作、爲何而作，細按多不可信。但〈詩序〉說詩旨或頗精到，仍有一定的參考價值。

(三)

續談《詩》的集結與編撰問題。

孔子曾言：「郁郁乎文哉！吾從周。」周文明的具體內容其實便是詩、書、禮、樂。周公「制禮作樂」，正式建立了有周一代政教的規模；而詩歌的勃興，正與周公禮樂相輔而成。當時宗廟祭祀、會朝宴饗、報聘遊燕種種大小禮典之中，無不奏樂歌詩，甚至婆娑起舞，詩、禮、樂三者緊密結合，確實發揮了教敬教和、融通情感的大用；孔子曰：「興於詩，立於禮，成於樂。」王道德化，不過如此。詩歌便在此等濃郁的文化空氣下持續產生。

春秋時代，詩篇的增加比較快速。一方面東遷前後邦國殄瘁的景象給予詩人極大的刺激，作出不少感傷的詩篇；另一方面，王權旁落以後，列國大夫盛行聘問，斷章賦詩成爲外交場合的常事，采集新詩也有其實際需要。詩篇積聚日多，勢須加以編纂和整理。大約到了春秋中期，《詩經》已經有了一個初編本。據《左傳》記載，魯襄公二十九年，吳季札至魯請觀周樂，工爲之歌〈周南〉、〈召南〉，爲之歌〈邶〉、〈鄘〉、〈衛〉，歌〈王〉，歌〈鄭〉，歌〈齊〉，歌〈豳〉，歌〈秦〉，歌〈魏〉，歌〈唐〉，歌〈陳〉，以至〈檜〉與〈曹〉；又歌小雅，歌大雅，乃至歌頌（〈周頌〉）；可見斯時的《詩經》本子已經規模大具、斐然成章了。它與今傳《詩經》只有兩處明顯的不同：一是十五國風的先後次第微有不同，一是〈魯頌〉、〈商頌〉尚未附入。

這一《詩經》初編本究由何人編成？考量當時的體制，最有可能的人選當是王朝或魯國的樂師。樂師主掌誦詩奏樂，必須精熟詩篇樂曲以供各種場合應用，編輯一本常用譜辭備索乃屬順理成章。三百之數，大約是記誦的極限，流通的總數。十五國風中，有魏、陳、檜、曹等小國之詩，而無吳、楚、魯、燕等大國之詩，或許與各國歌詩風氣盛否有關，也或許與地理遠近影響流通有關，不見得有若何之用意。

漢人推尊孔子，以為六經皆經孔子手訂，編輯《詩經》一事當然也推功於孔子：《史記》〈孔子世家〉云：

> 古者詩三千餘篇，及至孔子，去其重，取可施於禮義，……三百五篇，孔子皆弦歌之，以求合〈韶〉〈武〉雅頌之音。

此說難信，可從很多方面來析說。第一，魯樂工為季札陳周樂時，《詩》的規模已與今本《詩經》相若，當時孔子年方八歲，絕未措手其間。第二，若說當時有三千餘篇詩流通，各國樂師有無能力記誦演奏？而孔子一介士夫，以一人之見刪九取一，各國王公卿士何以即肯信從不違？又，所謂「去其重，取可施於禮義」，今本詩經仍有複重之篇，且鄭、衛、齊、陳皆有所謂「淫詩」，何以孔子不刪？第三，孔子屢言「文獻不足」，何至輕易刪詩？又，孔子屢言「詩三百一言以蔽之曰思無邪」，「誦詩三百，授之以政」，語氣自然，顯然即就已成之本言之，並非鼓吹個人新定之本。第四，《左傳》、《國語》等書記載古人誦詩引詩凡兩百餘處，其詩不在《詩經》三百篇之內者僅有十餘處，僅占總數的百分之六，可見當時縱有少數詩篇未被收錄，卻絕無可能達到兩千七百篇之鉅（孔穎達及趙翼說）。所以《詩經》的結集應該與孔子無關，也不應該是任何人有意刪取的結果。

但是孔子雖未刪詩，卻曾正樂。《論語》〈子罕篇〉載：

子曰：「吾自衛反魯，然後樂正，雅、頌各得其所。」

可知春秋末年禮樂不復興盛，雅、頌的分別亦幾乎泯亂，幸賴孔子細心釐正，方使雅、頌各得其所。在正樂的過程中，或許孔子對漸趨混亂的《詩經》本子也有些許整編的功勞。今本《詩經》中略微調整了十五國風的次第，並添入了魯、商二頌；這會不會是孔子所為？至少鄭玄是持此看法的。無論如何，孔子竭力提倡讀《詩》，曰：「《詩》可以興、可觀、可以群、可以怨。」曰：「不學《詩》，無以言。」《詩經》能夠傳世不朽，孔子仍是重要的關鍵人物。

關於詩篇的集結，昔人還有「獻詩」及「采詩」的說法。獻詩云云，見於《國語》〈周語〉：

> 天子聽政，使公卿至於列士獻詩，……師箴，瞍賦，矇誦，百工諫，庶人傳語。

采詩云云，見於《漢書》〈食貨志〉：

> 孟春之月，行人振木鐸徇於路以采詩，獻之太師，比其音律，以聞於天子。

此類說法，細究都未必可靠。清儒崔述在〈讀風偶識〉中有詳辨。總之詩篇的傳唱流通應該是自然現象，不待建立制度然後能之。不過樂師在其間倒眞是個不可少的角色。

(四)

至此可以談談《詩經》的價值。

讀詩可以陶情性，厚人倫，美教化，移風俗。文學的感染力本來要比普通語言文字來得強，而《詩經》正是中國北方黃土高原上質樸的華夏子民最淳厚的情感之吐露。無論是男女夫婦、父子君臣，兵戰勞作，四時感興，詩辭中款款道出的總是一片深情厚意；縱有哀怨刺責之辭，仍然一歸於敦勵期勉；無怪乎《禮記》〈經解篇〉曰：「溫柔敦厚，《詩》教也。」孔子曾說過：「〈關雎〉樂而不淫，哀而不傷。」西漢淮南王劉安也曾說過：「國風好色而不淫，小雅怨誹而不亂。」這些話其實可以拿來形容全部詩三百。所以全部《詩經》可說是出乎性情，歸於道德。這正是文學作品所可達致的最高境界。

作爲中國最古老的詩歌總集，《詩經》的文學形式與技巧也給予後人以無限啓迪。〈毛詩序〉已言《詩》之六義爲風、雅、頌、賦、比、興。風、雅、頌爲音樂上之分別，已見前節；賦、比、興則屬寫作手法之不同。賦者敍物以言情，比者索物以託情，興者觸物以起情（李仲蒙說）。賦比較直接，比興的手法則富有藝術效果。比興雖非中國所獨有，但一自《詩經》運用以來，其含蓄深美的作用便爲中國文人所深愛默體，因而比興早成爲中國文學的一項秘寶。《文心雕龍》有〈比興篇〉言此甚詳。另外，《詩經》四言的句法雖稱簡質，不比後起的五七言詩討好，其典正的風格卻爲文家所欣賞，而長期存在於駢文中。其他如字句之夸飾、章節之複沓、尾韻之變化等種種技法，都對後世文學有深遠的影響。所以若說《詩經》是中國文學的不祧之祖，其誰曰不宜！

《詩經》全部作品都作於春秋之世以前，於今言之，已全是上古遺跡，當然亦具有相當的史料價值。〈周頌〉、大雅的若干篇章，出西周初，爲中國現存最古文獻之一；二雅中〈生民〉、〈公劉〉、〈緜〉、〈皇矣〉、〈大明〉諸篇記述周王朝初起的歷史，〈江漢〉、〈常武〉、〈采薇〉、〈出車〉、〈六月〉、〈采芑〉諸篇記述周宣王中興的歷史，都是珍貴的第一手史料。又，詩篇中所述涉及周代社會生活的各個方面，如思想、禮俗、農業、物產等等，因而詩經也可作爲研究當代社會史與文化史的重要參考。至於《詩經》字詞音義多古，因而成爲研究中國音韻、文字、語言學史的寶典，則早已爲學術界所共知。

禮記

(一)

「禮記」者，論禮之雜記傳也。旣曰記，可是它原不是經，而是一種解經的著作。漢人所謂《禮經》，指的是《儀禮》十七篇，五經博士暨弟子員講習的就是這十七篇；至於《禮記》，則是各種散篇的禮學論述疏說條記的合集。它在西漢中葉編成，不是先秦舊書，所以不涉今古文問題；但它所選錄的各種篇節，卻不乏先秦時代的作品，也有西漢前期的作品，所以文獻價値仍然很高。在漢人的心目中，它是研讀《禮經》的參考著作，收錄各類各樣關於禮的資料，龐雜而豐富。漢末鄭玄以博允的眼光徧注《周禮》、《儀禮》和《禮記》，《禮記》的地位爲之提高。到了唐人編《五經正義》，《禮記》反而蓋過了專論官制的《周禮》及專論儀節的《儀禮》而成爲《禮經》的代表了。

其實「禮記」一名在漢代指謂尙不甚明確。因爲《儀禮》漢人多單稱《禮》，而《禮》十七篇中有十三篇經後原已附有該篇的疏記，所以專主經言可曰《禮經》，合記而言可曰《禮記》；換言之漢人口中的「禮記」有時指的卻是《儀禮》而非今人所謂《禮記》。又，今天的《禮記》，亦名《小戴禮記》，因爲它是西漢中期小戴（戴聖）編輯一些雜記傳以成；當時大戴（戴德）也曾經另外纂集了這樣一本著作，俗謂之《大戴禮記》；而大戴、小戴選錄之外還有不少禮家的雜記傳流傳於世；所有這些雜記傳及輯本，有時也一律簡單稱作「禮記」。這不僅造成名目的混淆，也顯出小戴之本未被另眼看待。《漢書》〈藝文志〉著錄六藝書籍，禮類所收「古經五十六卷」，指的是古文《儀禮》；「經十七篇」，指的是今文《儀禮》；「記百三十一篇」，則是含糊籠統的泛指那些禮家記傳，包括大、小戴所選取的皆在其內；顯見即在東漢前期，《小戴禮記》還沒有獲得明確的獨立地位。大約到了東漢末期，「禮記」之名才被《小戴禮記》所獨專。

「記」者，解經的體裁之一。它不像注與疏那樣詳明，而比較像傳與說，從較爲寬泛的角度來發明經義。賈公彥曰：

> 凡言「記」者皆是記經不備，兼記經外遠古之言。

這是說「記」之一體主要是抄記相關資料或整理補充經文未盡之處，使經義得到證發。《禮記》正是一本這樣的作品。除了部分闡申《禮經》要義的篇章外，它還收錄不少環繞著「禮」之一中心所作的各種雜記，自成統緒：孔穎達曰：

> 或錄舊禮之義，或錄變禮所由，或兼記體履，或雜序得失，故編而錄之以為記也。

所以「禮記」爲書誠可謂名實相符。由於選錄角度較爲廣泛，它保存了特別多的禮學資料，因而在後世大受推重。

(二)

上節論《禮記》名義，此節再細說《禮記》內容。

《禮記》一書以今人的眼光看來不免顯得叢脞雜亂。它不像《周禮》，以天、地、春、夏、秋、冬六官爲綱，分記三百六十官的工作內容與職掌，條理分明；也不像《儀禮》，以冠、昏、喪、祭、射、御、朝、聘八禮爲重心，詳細記述一應吉凶賓嘉禮節儀式，主題明確；它的四十九篇篇章，雖說都是從「禮」出發的廣泛論述，卻各有不同的發揮方式與方向，乍看之下很難全面掌握。所以學者往往嘗試將之分類理會。下面根據梁啓超先生之意把它大略區分四類：

一、解釋《儀禮》單篇大義。

這是性質比較單純的一類。包括〈冠義〉、〈昏義〉、〈鄉飲酒義〉、〈射義〉、〈燕義〉、〈聘義〉、〈喪服四制〉等篇。

二、記錄或考證古代制度禮節。

這類中有敷陳古代王政典制的篇章，如〈王制〉、〈月令〉、〈文王世子〉、〈明堂位〉；也有記載日常生活禮節規範的篇章，如〈曲禮〉、〈內則〉、〈少儀〉、〈玉藻〉；另外有相當多的篇章專門討論喪祭諸事，包括〈奔喪〉、〈檀弓〉、〈曾子問〉、〈喪大記〉、〈喪服小記〉、〈服問〉、〈大傳〉、〈間傳〉、〈問喪〉、〈三年問〉、〈喪服四制〉以及〈祭法〉、〈祭義〉、〈祭統〉、〈郊特牲〉等篇。

三、通論禮意遂及儒家思想學術。

這類篇章，大抵跳脫了禮節形式而暢論人文理想，於今言之義理價值最高。包括不少名篇，如〈禮運〉，論禮的興起轉變與文明進化的階段，最終期於「大同」，規模宏遠；如〈經解〉，論六經的宗旨及其教化作用，歸本於以禮為國，綱領明確；如〈樂記〉，論禮樂的教化作用，因及音樂理論；如〈學記〉，論教育之道，包含教育的原理、方法、重要性；如〈坊記〉，論禮的作用與禮的輕重節度；如〈表記〉，論君子內修仁德發為儀表；如〈緇衣〉，論主上以德化民則易為治；如〈儒行〉，論儒者修德操行俱美；如〈中庸〉，論中和之德，人盡其性則可以溝通天人，參贊化育，為儒家最高人生哲學；如〈大學〉，論內聖外王之道，由修身可至治國平天下，為儒家傳統思想綱領。其中〈中庸〉、〈大學〉兩篇，在宋代經朱子表彰，與《論》、《孟》相提並論，儼然已成為儒家最重要的經典之一。〈禮運〉一篇，在清末民初亦獲學者重視，以其社會經濟思想頗可與近代的民生主義相合。

四、記孔子言行遂及孔門時人言事。

這類在《禮記》中往往而見，大抵是七十子後學藉孔子之口來評論禮樂政教，未必眞出孔子；也有一些關於禮制得失的言論故事。包括〈仲尼燕居〉、〈孔子閒居〉、〈哀公問〉、〈曾子問〉、〈儒行〉、〈檀弓〉等篇。

一般都說《禮記》共四十九篇，但也有四十六篇的說法。這是因為四十九篇中〈曲禮〉、〈檀弓〉、〈雜記〉三篇都分上下篇，如合計而不分計則可以少計三篇，便成為四十六篇。《隋書》〈經籍志〉以為小戴之本原先只有四十六篇，經馬融補足三篇才成為四十九篇，是一個嚴重的誤會。

在先秦至漢代豐富的禮家記傳資料中，小戴選取了四十九篇成為《小戴禮記》，大戴選取了八十五篇成為《大戴禮記》。他們的書雖各自別行，選擇眼光則有時相當一致。所以《小戴禮記》中的〈投壺〉、〈哀公問〉、〈祭義〉、〈雜記〉、〈經解〉、〈聘義〉、〈喪服四制〉等篇，比較之下都與《大戴禮記》重出複見或大段雷同。《大戴禮記》今存三十九篇，亡佚過半，少人講習，其學術地位萬不能與《小戴禮記》相比；但論二書的內容性質，其實是完全類似的。

㈢ 再論《禮記》的撰集問題。

大、小戴分別編纂《禮記》的說法，早見於漢末鄭玄的《六藝論》中：

> 戴德傳記八十五篇，則《大戴禮》是也。戴聖傳記四十九篇，則此《禮記》是也。

據《漢書》〈儒林傳〉所記，二戴皆爲后倉弟子，傳習《儀禮》，各自名家，至宣帝時皆立博士。既是禮學專家，則在研習《禮經》之餘整編若干雜記傳爲一編以利研討，應該是順理成章之事。《禮記》原是某種參考材料、輔助讀本，所以起初不受重視，二人之書常被混淆不別，也屬情理之常。至於二人編書的過程與資料來源，漢世未見道及，僅見於晉人陳邵的〈周禮論序〉中，云：

> 戴德刪古禮二百四篇為八十五篇，謂之《大戴禮》；戴聖刪《大戴禮記》為四十九篇，是謂《小戴禮》。後漢馬融、盧植考諸家同異，附戴聖篇章，去其繁重及所刪略而行於世，即今之《禮記》是也。

所謂「古禮二百四篇」，就是劉向《別錄》所說的「古文記二百四篇」，陳邵以爲這自是大、小戴共同的資料來源。當然這說法大體不差，可是他沒有考慮到：除了先秦所作舊記外，二戴難道不會採錄漢人所作的新記嗎？據今人考證，《小戴禮記》中的〈王制〉、〈月令〉、〈內則〉、〈禮運〉、〈樂記〉、〈經解〉諸名篇，都是漢人作品；則二百四篇就不會是二戴唯一的資料來源了。不止此也，陳邵說小戴刪大戴之本爲四十九篇，似乎以爲《小戴禮記》只是《大戴禮記》的再節本；其實即從今存的《大戴禮記》三十九篇觀之，二戴採錄有同有異，並無小戴全出大戴的現象。大、小戴應該都是在衆多資料中各自刪取的，並非刪彼成此。至於馬融、盧植又對《小戴禮記》略加考訂的說法，由於找不到文獻佐證，只能姑且存疑。

唐人修《隋書》〈經籍志〉，對於《禮記》的編纂過程另有一套繁複而奇怪的說法，云：

> 漢初，河間獻王又得仲尼弟子及後學者所記一百三十一篇，獻之；時亦無傳之者。至劉向考校經籍，檢得一百三十篇，向因第而敍之。而又得〈明堂陰陽記〉三十三篇，〈孔子三朝記〉七篇，〈王史氏記〉二十一篇，〈樂記〉二十三篇，凡五種，合二百十四篇。戴德刪其煩重，合而記之，為八十五篇，謂之《大戴記》。而戴德又刪大戴之書為四十六篇，謂之

《小戴記》。

此一說法前無所承，不知有何依據；更嚴重的是它根本不合理：所謂「記百三十一篇」、「明堂陰陽記三十三篇」、「王史氏記二十一篇」，是西漢末年劉向整理經籍所著錄的《禮》類文獻十三類之三；「樂記二十三篇」是《樂》類文獻六類之一；「孔子三朝記七篇」是《論語》類文獻十二類之一；何以編《禮記》者一定要從此五類文獻中取材呢？譬如《禮》家文獻中還有「曲臺后蒼記九篇」，出自戴聖業師后倉，何以見得戴聖一定不會從此取材呢？又，〈明堂陰陽記〉幾篇，〈樂記〉幾篇，是西漢末劉向所分的類別、所見的篇數，西漢中戴聖編《禮記》時所見未必即是此目此數，至少絕不及見到西漢後期人所作的一些新記，怎能說戴聖反過來從劉向整理的某幾類文獻若干篇中取材呢？所以這個說法看似十分確鑿，實則倒錯不通，最好把它暫置勿問。

如此說來，兩本《禮記》應該是由大戴、小戴從龐雜的禮家文獻中各自取材編成的；二書雖有不少重複選取的篇段，但獨具慧眼之處更多，並不是小戴刪大戴；至於資料來源，除了先秦傳下的古文舊記，一定還包括不少漢人新記，但新記作成不會晚於西漢中期。《大戴禮記》漸遠漸微，《小戴禮記》愈後愈顯，或許與兩書撰集的精粗有點關係。

所謂禮家文獻，其實來源也頗複雜。譬如〈中庸〉、〈坊記〉、〈表記〉、〈緇衣〉四篇，沈約說本在《子思子》中；〈樂記〉一篇，孔穎達說出自《公孫尼子》；〈月令〉一篇，鄭玄說取自《呂氏春秋》；還有〈禮運〉、〈鄉飲酒義〉、〈聘義〉、〈三年問〉諸篇，有大段文句出於《荀子》；另外〈內則〉有取於《周禮》，〈奔喪〉及〈投壺〉本出於古文《儀禮》，〈祭法〉則似乎有取於《國語》〈魯語〉。大概經子遺籍中有可供論禮參考的部分都被禮家采取摘錄下來成爲各種條記，最終就被編入到《禮記》之中了。

(四)

本節稍談《禮記》的價值。

三禮之中，《周禮》且不論，《儀禮》專談儀節，乍看之下好似典禮儀式的程序單，不但相當乏味枯燥，並且時至今日早已失去了實用性，因爲禮文禮節早已一變再變去古甚遠了。今日研讀古《禮經》，還是應以通達義理爲主，略諳儀文只是爲了推明義理；此所以萬斯大曰：

> 《儀禮》一書，與《禮記》相為表裏。考儀文則《儀禮》為備，言義理則《禮記》為精。在聖人即吾心之義理而漸著之為儀文，在後人必通達其儀文而後得明其義理。

這樣看來，《禮記》在今日的價值要遠大於《儀禮》，因爲《禮記》各篇較少述說禮的形式、禮的內容，而多半論述禮的原則、禮的目的、禮的意義、禮的精神；換言之，《禮記》主要的篇幅正是在申說義理。中國自古稱「禮義之邦」，中國人的文化精神與禮教傳統，都應該在《禮記》中用心覓取。要想了解中國人的禮學思想乃至儒學思想，《禮記》都是不可或缺的重要典籍。如果現代國家社會仍然需要現代的禮文禮節，也唯有從傳統典籍中找出符合我們民族性與文化特色的東西作爲血脈骨肉，才能建立起眞正屬於我們中國人的新禮。

說到研究儒學思想，《禮記》一書也確有其凸出的地位。這從〈經解〉、〈大學〉、〈中庸〉、〈禮運〉諸篇特別可以看出。簡要言之，儒家思想學術經過孔、孟、荀以來的發揮，一方面博大光昌，一方面也多少有些歧異變化；同時道、墨、名、法諸家並起，其說其學難免會對儒家造成一些衝擊影響；種種因素交會之下，經過長期的積累，便有不少綜合會通的傑思產生。這些發展變遷、交互影響的痕跡，在《禮記》中往往尚可考見；而推陳出新的儒學名篇，近人號為「秦漢新儒家」的代表名作，也多為《禮記》所收容。所以《禮記》在研究晚期儒家學術思想史上有其不可取代的重要性。梁啓超先生說：

欲知儒家根本思想及其蛻變之跡，則除《論語》、《孟子》、《荀子》外，最要者實為兩戴《記》。

此話非常明白。《禮記》本多攟落粗跡、直申義理的篇段，其闡發先儒人文理想的若干段落，辭正理明，暢達無礙，比起論筮的《易》、記史的《書》、言情的《詩》，都要來得詳切痛快得多。而晏子以下儒家子書五十三家，存者不及十一，除孟、荀之外也不盡精醇，常須輔以《禮記》增進理解。所以《禮記》可說是記而為經、經而兼子的一部妙書。

禮是人群生活之綱紀文章，當然禮書中一定反映出古代生活的大概風貌，所以藉由《禮記》也可以探觸古代的制度、禮儀、服物、民俗等事。也就是說，《禮記》正如《儀禮》一般，也有幫助研究古代社會禮俗的特定價值。這已算是史學研究的一環了。

左傳

(一)

《左傳》本來不是經，而是解經的傳。它和《禮記》一樣，是從記傳上升爲經的。五經中的《春秋》，論性質本是史，因是孔子所修，所以被尊爲經；《左傳》就是《春秋經》的一部傳。漢時《春秋經》的傳原有五部，包括〈公羊傳〉、〈穀梁傳〉、〈鄒氏傳〉、〈夾氏傳〉和〈左傳〉；〈鄒氏傳〉、〈夾氏傳〉在東漢初已幾乎湮絕，只有〈公〉、〈穀〉、〈左〉三傳猶存；三傳在後來都被升入經部，爲學者所傳習，而《左傳》的地位尤尊，影響尤大。

《左傳》之名，漢人未用，晉人杜預開始用此名稱。《漢書》〈藝文志〉著錄，則稱它〈左氏傳〉、與〈鄒氏〉、〈夾氏〉一律。既然它是《春秋》的一傳，則其全稱應該是〈春秋左氏傳〉。《漢書》〈儒林傳〉中即有其例。但是漢人也常省稱之爲〈春秋左氏〉、〈左氏〉、甚至〈左氏春秋〉，司馬遷也曾稱它爲「春秋古文」。這是因爲解經之傳既依經而作，則不自立名，後人爲便於稱謂，或冠以本經，或別以作者姓氏，因而形成種種不盡一致的稱號。

「左氏春秋」之名最早亦見於《史記》，司馬遷並且鄭重說明魯君子左丘明，如何如何因孔子史記而「成左氏春秋」（見《十二諸候年表》〈序〉）。所以清朝的今文經學家據此大作文章，說《左傳》原名當作《左氏春秋》，而《左氏春秋》則是一本類似《呂氏春秋》的書，並非《春秋》之一傳。這種推論頗嫌武斷。司馬遷也曾說：「瑕丘江公爲〈穀梁春秋〉」（見《儒林傳》）。難道〈穀梁春秋〉也非《春秋》之一傳嗎？顯然今文家爲了排斥古文《左傳》而過分情急了。《左傳》記事詳明，雖是《春秋》之傳，而體格不遜《春秋》，所以司馬遷有時逕以《春秋》稱之：「春秋古文」即是古文《左傳》，「左氏春秋」之名更無足怪。後來王充《論衡》〈案書篇〉所提到的「佚春秋三十篇」，也是指的古文《左傳》。

《左傳》既曰〈春秋左氏傳〉，似乎應由姓左之人作成。《史記》早云魯君子左丘明作〈左氏春秋〉，把它繫諸見於《論語》的賢人左丘明。孔子作經，左丘明作傳，時地相接，於理甚通。但是唐、宋以下人根據各種論據質疑舊說，以爲《左傳》成書已入戰國，並且似乎不出魯人之手，恐怕左丘明說不能成立。然而戰國人物中又找不出另一位合乎條件的左先生。近年也有新說謂左氏乃地名，非氏姓，並且舉《韓非子》文爲證。若然，則〈左氏傳〉就是以地名書而非以人名書了。這又與一般習慣有違。關於這一問題，且留待後文再細談。

(二)

上節論《左傳》名義，此節論《左傳》內容。

《左傳》既是《春秋》之一傳，想要了解《左傳》爲何如之傳，應先了解《春秋》爲何如之經。《春秋》從外形看來，只是一部略有缺損的魯國史，以編年的方式記載著魯國自隱公下迄哀公，共十二公二百多年間的本國及國際大事，字句簡約，通共只有一萬六千字左右。爲什麼它會被尊爲經呢？原來自孟子以來都明白宣稱它是孔子作的。孔子又非史官，何以會去作《春秋》呢？因爲「世衰道微，邪說暴行有作，臣弒其君者有之，子弒其父者有之」（見《孟子》〈滕文公〉），所以孔子作《春秋》來警戒世間亂臣賊子。其方法就是在原有史文中加強褒貶是非意味，也就是嚴明《春秋》大義，所謂「其事則齊桓、晉文，其文則史，其義則丘竊取之」（見《孟子》〈離婁〉）。這樣一來，《春秋》就不能單以魯史視之，而要變成富含義法的聖書了。戰國以還，《春秋》地位綦高，不下《詩》、《書》正典，其故在此。

《春秋》見尊爲經，但它本身實頗覺單陋。二百多年間，平均每年只記六、七十字，事件既未能始末分明，褒貶大義也似乎深晦不易把握。這就需要有傳來幫助解說。三傳之中，〈公羊〉、〈穀梁〉偏重闡發義法，〈左傳〉偏重記述故實。葉夢得嘗云：

〈左氏〉傳事不傳義，是以詳於史；〈公羊〉、〈穀梁〉傳義不傳事、是以詳於經。

這話說得簡明扼要。今本三傳前面都附有《春秋經》，對照《春秋經》來看，《春秋經》只有一句平板記述的，《左傳》多能詳細道出始末因果。譬如魯宣公十二年春，經記「葬陳靈公」，「楚子圍鄭」；前一事無傳，後一事傳則以二百言詳述鄭戰敗求和過程；夏，經記「六月乙卯，晉荀林父帥師及楚子戰于邲」；傳則以二千餘言詳述晉師混亂致敗之事，並及鄭石制召來楚師之內幕，以及鄭伯、許男赴楚謀晉之事；冬，經記「十有二月戊寅，楚子滅蕭」，「晉人、宋人、衛人、曹人同盟于清丘」，「宋師伐陳，衛人救陳」；傳則補述滅蕭過程及其間二事，並補述晉原穀、宋華椒、衛孔達諸人訂盟而不行之事，並補述宋師何以伐陳而衛人何以救陳之故。可以說，若無《左傳》，《春秋》的記錄眞可謂片斷零碎，而且有骨無肉，很難讓人發生興趣，發生感想。無怪乎東漢桓譚要說：

〈左氏傳〉于經，猶衣之表裡，相待而成。經而無傳，使聖人閉門思之，十年不能知也。

無傳則聖人不能知經，這充分說明了傳的重要性。

《左傳》全書共十九萬言，即依《春秋》隱、桓、莊、閔、僖、文、宣、成、襄、昭、定、哀十二公之序一年一年分年敍下。稍有歧異者，經止於哀公十六年，傳則止於哀公二十七年，多補上了十多年的史事。又有可注意者，傳雖發揮經事，卻不定必與經密合：譬如「葬陳靈公」一事，經有傳無；「鄭伯、許男如楚」一事，傳有經無；也偶有同記一事而經誤傳不誤的情形，譬如「六月乙卯戰于邲」一事，傳詳述六月出兵以來一路軍情變化直至乙卯、丙辰日，則易知乙卯已在七月而不在六月；凡此都是《左傳》傳例之靈活變化處，詳記與否一視史料之有無及重要性而定。由於《左傳》長於發揮，許多段落都是首尾具足、神情畢現，所以常被文章家割裂選錄，摘成一篇篇的散文，如「鄭伯克段于鄢」，「秦晉崤之戰」、「晉楚邲之戰」等，當作習文範本；《左傳》中的許多故事，也因此深入人心，成爲大家共同的歷史記憶。司馬遷《史記》採取《左傳》之處尤多。《左傳》雖是編年之體，卻以極多篇幅、極佳筆法來刻劃人物，對於將來紀傳史體的形成，也有很大的啓發。

《左傳》的傳例雖然比較靈活，並不呆板扣緊《春秋》，但絕不能因此猜疑它原非《春秋》之一傳。西漢今文博士曾說「〈左氏〉不傳《春秋》」，東漢今文博士曾說「〈左氏〉不祖孔子」，都是黨同伐異的苛論，不足憑信。清代今文家劉逢祿以爲《左傳》今日的面目已經劉歆改造，原書只是史而非傳；康有爲更進一步申言《左傳》全係劉歆割裂《國語》而僞造；這些惡意的怪論，平心思之自知其非。倒是《左傳》的光芒，並不因它只是《春秋》之一傳而有所減損。偌大十九萬言的傳，收錄史實之豐，足以使整個春秋歷史昭然可曉。而十九萬言如出一手，情事貫串，理緒微密，駕御材料及組織經營的能力更可驚歎。《春秋》雖是魯史，但涉及各種國際大事；經由《左傳》的舖陳，使天下大局宛在讀者目前。《春秋》雖有褒貶義法，但單字片辭頗難意會；經由《左傳》的記載，使是是非非明白無疑。另外《左傳》獨有的「君子曰」形式的評論，更是中國史學中一個了不起的創造，爲以後「太史公曰」之類史評的濫觴。

(三)

再來談談《左傳》的撰作問題。前已言之，《左傳》傳統上都以爲是左丘明作，唐、宋以後人漸生懷疑，近代則有劉歆作、吳起作兩個說法。姑從這幾說入手檢討。

左丘明作傳，最能解釋書何以名〈左氏傳〉。孔子與左丘明同時，一個作經，一個作傳，最是順理成章。此說的疑點是，左丘明在《論語》中出現的情形，非但不像孔子弟子，反而像是孔子的前輩；唐人趙匡云：

《論語》：「左丘明恥之，丘亦恥之。」夫子自比，皆引往人。邱明者，蓋夫子以前賢人如史佚、遲任之流。

既如是，則左丘明未必能爲孔書作傳。即使夫子晚年作經，左丘明繼之作傳，何以傳中還能牽涉到孔子死後五十多年之事？宋人鄭樵云：

《左氏》記韓、魏、智伯之事，又舉趙襄子之謚，則是書之作必在趙襄子卒後。

這不是太晚了嗎？縱然此類筆墨可能由後人續成，非關原作者，但近代人用更科學的方法整理《左傳》中許多哲人預言的應驗情形，發現某一年限之前的預言都能應驗，之後的都不應驗，證明《左傳》作者已經親見某些事的發生，某些則否；日本漢學家狩野直喜云：

《左氏》預斷秦孝公以前事皆有驗，孝公後概無徵。據此仍可判斷《左傳》成書已在孔子死後八十年左右。則左丘明作傳的說法便絕不能成立了。瑞典漢學家高本漢從《左傳》文法、語彙等方面研究，亦認為《左傳》非魯國人作。

劉歆偽作《左傳》之說，後出而驚人。《左傳》與《國語》，雖然記事頗有相通處，又都傳為左丘明作，其實宗旨、體裁、文辭、風格殊不相同，本是各自獨立的二書；想要論證《左傳》係劉歆從《國語》中分割出來偽成另一書，只見其左支右絀魯莽滅裂。其實《左傳》不可能為劉歆偽作的最堅強證據是，遠在劉歆生存的西漢末葉之前，《左傳》早已有成書傳世；雖然西漢古文不顯，司馬遷等通儒仍曾參閱引用；《漢書》〈儒林傳〉亦云：

漢興，北平侯張蒼及梁太傅賈誼、京兆尹張敞、太中大夫劉公子皆修〈春秋左氏傳〉。

甚至戰國後期的著述如《荀子》、《韓非子》、《戰國策》、《呂氏春秋》中，也早有引述《左傳》文字之處，劉師培先生有專文考證。另外，西晉太康年間，汲郡有一戰國古墓被盜，中藏不少珍貴竹書，其中一卷名〈師春〉，專摘記《左傳》中卜筮故事，杜預親記所見云：

> 上下次第及其文義，皆與《左傳》同。

更可見戰國中期《左傳》早已問世，何待劉歆僞造？所以此說不攻自破。

吳起作《左傳》之說，由錢賓四先生提出。其說的優點，在吳起的年籍正與前述漢學家的科學考證相當。他是衛國人，先仕魏（春秋時屬晉），後仕楚，卒於孔子卒後七十五年。《左傳》中記晉、楚之事特詳，會不會與吳起仕魏、仕楚的背景有關？又《左傳》善於論兵謀，會不會與吳起兵法家的背景有關？吳起本是舊傳《左傳》傳授系統中的一員，他與《左傳》應有相當關係，見劉向《別錄》：

> 左邱明授曾申，申授吳起，起授其子期，期授楚人鐸椒，鐸椒授虞卿，虞卿授荀卿，荀卿授張蒼。

唯一的齟齬處，是他姓吳不姓左。但吳起雖不姓左，卻正好是左氏人；《韓非子》〈外儲說〉右上：

吳起，衛左氏中人也。

然則《左氏傳》會不會是以地名書呢？此說頗巧，卻也頗密，不易反駁，值得學者愼重考量。

如果不願輕棄古人成說，或許我們也可折衷認定，《左傳》最初當託始於左丘明，或曾規擘於子夏（魏文侯師）與曾申（曾子子），終究完成於吳起之手。

(四)

最後論《左傳》的價值。

自經學方面言，《左傳》實大有助於解經。「孔子成《春秋》而亂臣賊子懼」，何以懼？自是因爲中有大義存焉。然而大義非必如〈公羊〉、〈穀梁〉所辨，存在於一字之輕重褒貶上，存在於日或不日、名或不名、地或不地等體例的微小出入上，而當觀其大體，平心體會，始知聖人自有好惡。如是則經中事實的掌握當是第一要務。朱子云：

看《春秋》且須看得一部《左傳》首尾意思通貫，方能略見聖人筆削與當

> 時事之大意。

據此又歸納《春秋》之義旨云：

> 《春秋》大旨其可見者，誅亂臣、討賊子、內中國、外夷狄、貴王、賤霸而已。書會盟侵伐，大意不過見諸侯擅興自肆耳。書郊禘，大意不過見魯僭禮耳。

此種通明的見地，才是研讀《春秋》之正道，而其根本的憑藉，正是所謂「傳事不傳義」的《左傳》。

自史學方面言，《左傳》最重要的價值在完整呈現春秋歷史。春秋史料，雖非絕無，而嫌闕略散亂。賴有孔子《春秋》，始能粗具規模。但《春秋》簡陋，難以形成整部活歷史的有機結構。非有《左傳》，恐怕春秋歷史之於今人還是模糊生硬的。唐劉知幾《史通》有言：

> 向使孔經獨用，《左傳》不作，則當代行事安得而詳者哉！

這話說得極是。

除了詳載春秋歷史，《左傳》還有兩方面的用處。第一，一部眞確詳明的春秋史，大可以作爲研究中國古史的基準。因爲政治社會的進步，文明的發展，有一定的演進階程；春秋以前，文明發展能到若何階段？春秋以後，文明發展能到若何程度？都不應依靠少許史料隨便臆測。以一部相對信實的春秋史作基準，將對西周史、戰國史的研究都有益處。第二，《左傳》所囊括的史料，方面極廣，爲古史研究的各個層面都提供了豐富的資料。無論天文、地理、氏族、制度、社會、禮俗、宗教信仰、食貨經濟、外交、軍事、工商各業，《左傳》都曾直接、間接涉及寫入，留下了珍貴的記錄。所以漢人盧植曾贊歎曰：

邱明之傳《春秋》，博物盡變，囊括古今表裏人事。

可以說，群經之中，具有最全面的史學價值的當屬《左傳》了。

自哲學方面言，讀《左傳》有助於了解百家思想的萌芽，了解儒家道德精神的深厚蘊蓄。春秋時代正在戰國之前，世局雖未盡變，而變勢已不可止；舊學術漸趨衰落，新思想蠢蠢欲興；各種人事起伏，制度存廢，都可以看作時代轉變的痕迹，思想發生的背景，讀者從中可以得到不少眞實的體悟。而道德精神的活潑洋溢，更是所謂「臣弑其君，子弑其父」的春秋亂世中引人注目的現象。中國文化注重道德，其根源遠在孔子之前，並又在時代的考驗中淬礪成熟；研究中國民族思想文化者，豈可以忽視春秋之世，又豈可以忽視《左傳》？

自文學方面言，《左傳》體屬編年，而長於敘事寫人，長篇大段，富而且華，在經書中卓然秀出，在史家中唯司馬遷可與比肩，並為後世文章家開示不少法門。清代文學理論家劉熙載曾說：

左氏敘事，紛者整之，孤者輔之，板者活之，直者婉之，枯者腴之；翦裁運化之方，斯為大備。

清末古文家林紓則說：

天下文章能變化陸離不可方物者唯三家：一左、一馬（司馬遷）、一韓（韓愈）而已。

可見昔人對它推崇之一斑。

肆、史與史學

史是人類活動的記錄。有人有事，記下來就成爲史。史有狹義、廣義之分：有意寫史所載錄者固是史，無意寫史的各種筆墨文牘也全是史，或說是史料。清儒章學誠之名言曰：「六經皆史。」六經本是先王的政典，中有聖王之道在，故先聖取以垂訓後世；以道言之它是經，以事言之它仍是史。推而言之，子部、集部各類文獻，又何嘗不可作史看。此處所說的史，則是比較狹義的史。

「史」字的初義爲何？一般而言，史事可曰史，史書可曰史，史家也可曰史，如太史。根據早期文獻的用例，史家之義似最早見。許愼《說文解字》亦云：

史，記事者也。从又持中。中，正也。

从又持中是釋字形的，謂以一隻手持一個中來會意。中者中正不偏，象徵史家的精神。其說甚巧，可惜欠通，因爲中正乃無形之物德，非可手持。（王國維語。）清儒江永曾經提出「中」是「官府簿書」的新解：

> 凡官府簿書謂之中，故諸官言治中、受中，〈小司寇〉「斷庶民獄訟之中」，皆謂簿書，猶今之案卷也。此中字之本義。故掌文書者謂之史，以手持簿書也。吏字、事字皆有中字，天有司中星，後世有治中之官，皆取此義。（《周禮疑義舉要》）

這說法顯然合理得多。史家本是執掌文書案卷的記錄保存管理的，以此才會去記下史事，寫成史書。近世的文字學者根據出土甲骨文中「史」字的寫法，也確認史字所从不是中正的「中」字，而是另一個類似的字。此字可能是象筆形（馬敘倫說），也可能是象簡册形（吳大澂、羅振玉說），總之是藉它來會「記事」之意的。要之，中國之有史，起源甚早，即從「史」字造字初義便可想像。

中國的歷史，早先都出於王官之手。這些史官，服務於王廷，執掌一切文書簿籍檔案，遇事輒記，也常以嫻熟掌故舊例而備諮詢。《周禮》云：「史掌官書以贊治。」正說出了當時實情。實際上史官所掌管的官書何止歷史一項而已！舉凡天文、地理、宗教、禮法之類文獻，都歸史官管理，所以史官的職任獨重。西漢司馬遷本出史官世家，祖先世爲周史，父子在漢相繼爲太史令。斯時史官已成爲太常屬下的小官，但他自道職任，還說：「文史星曆，近乎卜祝之間。」由此還可以看出史官工作性質之博綜。正因爲這樣悠久的史官傳統，使得中國的歷史具有某些明顯特點：第一，史料積聚多，歷史記錄長而完整；第二，記史注意方法，常循固定成法；第三，記史常帶鍼砭懲勸意味，以爲施政者戒。這和世界其他各民族的歷史有很大的不同。漢晉以下，史書多出私家；隋唐以下，又多設館官修；規制雖有改變，精神還是始終一致的。

說到史籍的多與完整，當先舉正史爲例。中國共有二十六部正史，自《史記》、《漢書》以下直至《清史稿》，兩三千年來繩繩相繼從未中斷。無論南北分裂，無論蒙元、滿清入主，每一朝代都知爲前朝修史，從無闕失。某些朝代如唐、如五代、如元，更有新舊二史。元人修《宋史》外，又修《遼史》、《金史》。南朝除宋、齊、梁、陳四代正史外，又有《南史》。北朝除北魏、北齊、北周、隋四代正史外，又有《北史》。而《史記》體屬通史，在漢以前更記三代周秦事略備。這一整套正史計有四千餘萬言，體例完善，方面周廣，成爲中國歷史的骨幹。正史是紀傳體，另外編年體史也自成系統；自《春秋》、《左傳》分年記載春秋大事之後，司馬光的《資治通鑑》又從戰國下迄五代編年爲史，凡一千三百六十二年；畢沅的《續資治通鑑》，則詳記宋、遼、金、元事；明、清兩代更因時代較近而有依據官方檔案詳細編寫的《明實錄》、《清實錄》達數千卷；可以說，春秋以還的中國歷史，都能依年月日的軌跡具體呈現出來，確實說得上「斑斑可考」了。如果專爲考察各種歷史事件的始末因果，則又有高士奇《左傳紀事本末》、袁樞《通鑑紀事本末》、陳邦瞻《宋史紀事本末》以迄黃鴻壽《清史紀事本末》等完整的一系列紀事本末體史書可供參考。如果意在研究各種典章制度的內容與沿革，則可查閱杜佑《通典》、鄭樵《通志》、馬端臨《文獻通考》等典制體史書；三者合稱「三通」，加上後代續成之作，合稱「九通」或「十通」，極爲完備。若把各朝典制與要政大端分項綜述，則有會要之體，有孫楷《秦會要》、徐天麟《西漢會要》、《東漢會要》、楊晨《三國會要》、汪兆鏞《晉會要》、朱銘盤《南朝宋會要》下至《陳會要》、王溥《唐會要》、

《五代會要》以迄宋、元、明、清各代之《會要》與《會典》，均便查考。若依疆域地理分述各地人文政風史實地望，則有方志之體，大自全國性的一統志，小至地方性的府志、縣志甚至鄉鎮志，不一而足，無慮數十百種，讀者可以各取所需。吾國史籍內容的完備，體裁的多樣，積累的鉅大，豈不極可驚歎！

編年、紀傳之體，是吾國最爲久遠也最爲發達的史體，由這一點可以進論中國人的歷史方法、甚至歷史觀念。編年之體，「經年緯月，敍時事則詮次分明」；紀傳之體，「紀、志、表、傳，舉一朝則起迄完具」（浦起龍語）；二體都能用簡單而周盡的組織之法包羅史料貫串成書，一方面方便後起者的遵循，一方面也容易接近歷史的眞相。比如編年之體，年年月月如實記下，簡則簡矣，卻不會忽略事件的前兆與後果，大小事件間曲折複雜的連帶關係；不勞多作說明，讀者自能了解歷史的整體不可分割性，以及盛衰起伏的變化發展。這才是歷史的眞相。歷史不會突變，也沒有偶然。再說紀傳之體，志、表整理人事時地等基本史料，紀、傳則以君臣吏士文武賢奸爲對象，把一代的事象變遷寄託在各種人物中表現。寫人物，相對而言容易著筆，又能夠托出事件後面的人爲影響，心力作用，使事件變得生動而不孤立。事實上，人物才是歷史的主人，歷史上一應事件無不是各種正反人物共力推轂的結果；由人物切入描寫，正能忠實反映人與事的關係，使人憬悟歷史的眞實動力所在，不致落入歷史命定論中。這兩種史法，乍看像是比較原始，只有順敘，沒有明顯的分析歸納；而其長處卻正在減少了主觀的編採，保留更多客觀記錄的成分，還原歷史的眞實。長期以來國史重此二體，並不是史家只知因襲不知創造，實在是此二體後面自有深心美意呀！

再談史義。國史易爲近代人詬病的另一端，即是所謂褒貶是非，不夠客觀。其實這是中國民族深厚道德的自然流露，也是古代史官傳統使命感的繼續發皇，對於端正人心、發揚道義有相當貢獻，應該視爲中國史學的一項特長。所謂褒貶，有時只以一語見意，如《春秋》記「崔杼殺其君光」、「趙盾弒其君夷皐」；有時則以一段議論綴末，如《左傳》有「君子曰」，《史記》有「太史公曰」；有時則在記事行文之中微露感嘆之意使人默會。記史者所以能作如此評量，固不能不說是出於其人的主觀，但歷史主角的行事歷歷在焉，讀者自可考核他所評當否；當，則是公不是私，是客觀不是主觀。史家往來上下於百千年的紛雜史事之中，眼界既廣，感慨遂深，他的評量，當然基於湛明的史識，非一般隨便輕議可比。事實上，千古史家所念念在心者，還不是史實的詳密，而更在史義的精當；史家的史學素養高下，亦在此而不在彼。歐陽修病薛居正《五代史》冗弱，重作《新五代史》，卷帙只有薛史之半，而特重義法，一字不苟，論者以爲良史。由此可見中國史家懸格之高，自許之重。能不能把握到道義的宗本、公意之所向，給歷史主角一一蓋棺論定，以爲後世鑑戒呢？這一問題，始終在中國史家心中迴盪。所以褒貶是非看似是史家的主觀，其實透過史家的筆呈現的往往是公是公非，天經地義。章學誠《文史通義》〈史德篇〉云：

史之義出於天。

又云：

欲為良史者，當慎辨於天人之際，盡其天而不益以人也。

明瞭了這一點，當可相信傳統史書中的褒貶是非絕非苟作，值得讀者平心思索，不宜隨意批評詬病。

談到研究史學的目的和應有的懷抱，連橫〈臺灣通史序〉說：

史者，民族之精神，而人群之龜鑑也。

歷史如明鏡，可以點出人群活動的圖象，凸顯盛衰興亡的軌跡，提供後人行事的參考；更重要的是，歷史充分流露一民族的文化特質，包括他們的思考方式、行事風格以及價值觀等等，在顚沛變動中愈掩愈著；所以讀歷史也應細心領略民族精神。又，司馬遷〈報任少卿書〉說：

網羅天下放失舊聞，亦欲以究天人之際，通古今之變，成一家之言。

這三句話是他寫歷史的自我期許；我們讀歷史，也當能突破歷史的表象，不拘泥史事的細節，試圖在歷史的發展中體會人事變遷的通例，摸索那可知又不可知的因果本末關係，以通達的眼光和溫厚的胸襟接收歷史的教訓，並以此箴規現在，綢繆將來。要言之，史學絕不是一種以通知古事爲已足的學問；史學的主要關切在人，在人性與人情的表現；更尙而言之是在天，在天道與天心的探索；所以說史學高處已是哲學。至於史學通乎文學，更不待言而可知。沒有一枝擅於描寫世態人情的健筆，是不可能成就一部好歷史的。

中國的史學，肇始於上古，立基於兩漢，寖盛於魏晉南北朝時期。據《隋書》〈經籍志〉的著錄，此時期的史著竟有八百餘部之多，可謂盛況空前。唐宋以下，治史的方向又有所轉變，大率避近代而轉趨前古，怯創作而勇於改修，不談治亂興衰而專考典章制度，也有相當的成績。清代史學，以考史證史以及邊疆史的寫作爲最突出。民國史學，則以新史料的收集以及新眼光下各類通史、專史的寫作爲最突出。至於史學史上最值得注目的大史學家，早則以孔子與司馬遷爲首，後則以劉知幾與章學誠爲雄。孔子修春秋，確立了中國史學的義法；司馬遷草《史記》，確定了正史的體製、紀傳的良規。唐代劉知幾作《史通》，清代章學誠作《文史通義》，則是以史評代史著。劉氏長於批評利病，鉤稽體要；章氏長於闡明義例，提挈綱領。二氏對於中國史學的精神意趣、方法矩度有極多重要指點，故爲歷代研史者所盛推。

以下分說諸史。

正 史

(一) 史記

歷代正史之中，司馬遷《史記》居第一部，司馬遷也是開創此體的第一人，自當先作介紹。

「史記」本是古代史書的泛稱。秦始皇焚書，包括《詩》《書》百家語及六國諸侯史記，此即指各國的官修舊史，不指史遷之書。史遷之書，原名當爲《太史公》。「太史公」則是「太史令」的尊稱。何以要以此一尊名名書呢？這與先秦子家著書命名曰《孟子》、《老子》、《莊子》的情形完全相同，乃以家學自尊的意思。《漢書》〈藝文志〉著錄「《太史公》百三十篇」，即是此書了。此書漢人也稱《太史公書》、《太史公記》、《太史公傳》。直到班彪、班固父子以下，才以《史記》稱之，後來漸漸相因成習。

司馬遷字子長，陝西人。他的生平行事及作書旨趣，略見《史記》末篇〈自序〉以及所作〈報任少卿書〉中。由於司馬氏世爲周史，父爲漢史，所以他自幼即有爲史的抱負及準備。年十歲，誦古文。二十歲，南遊江淮，浮沅湘，涉汶泗，講業齊魯之都，歷鄱、薛、彭城，過梁楚以歸。後爲郎中，奉使至巴蜀，略邛、笮、昆明。父卒之後，紬讀史記石室金匱之書。可以說，「讀萬卷書，行萬里路」，他的學問養成過程相當充實。但他生平之中，也有兩件創深痛鉅之事，給他相當的打擊。一是漢武帝封禪泰山，不令太史令司馬談從行，種種儀法也不依官史舊例，以致其父談發憤病死；一是漢將李陵伐匈奴失利降敵，司馬遷仗義爲言，結果爲漢武帝所不諒解，判爲誣罔之罪，下蠶室受宮刑。父親的死，使他痛切思索朝廷政事的得失；父親臨終遺命作史，更成爲他此後惟一的人生目標。李陵之事，他本可從容就死，爲了史書未成，只得屈辱地自請減死就宮，這在性情伉爽的他而言眞是何等難受！更只有發憤寄意著作了。司馬遷以「西伯拘羑里演《周易》，孔子厄陳蔡作《春秋》」自比，《史記》就是他憤鬱心靈的辛苦結晶。

《史記》〈自序〉雖然極言法孔子作《春秋》的深旨，所謂「撥亂世反之正，莫近於《春秋》」，「有國者不可以不知《春秋》」，「《春秋》，禮義之大宗」；但是他的書體裁形式上卻與《春秋》判然不同。《春秋》體屬編年，《史記》則以人物紀傳爲主。這是中國史學上一絕大發明。寫人物，可使歷史有活氣，而且可以明白交代人事交錯發展，甚至收納不涉入大事但有大節的人物，使人了解人才是歷史的主人。這一大改變，在當時或未能廣獲知音，卻深刻影響了此後二千年的中國史學。其實紀傳體史也非只有人物紀傳而已，它是一個完整謹嚴而均衡靈活的綜合體裁，比如《史記》，包括：

本紀　十二篇　記帝王起落行事

表　十篇　記歷代歷國歷年大事及其時間關係

書　八篇　記歷代典章制度大政沿革

世家　三十篇　記世襲諸侯王國傳承興亡之跡

列傳　七十篇　記各種正反賢奸人物

其中「世家」是爲了分敘兩周諸侯國之事而設的體裁，封建崩潰後只有漢初尚有一些功臣封國可記，稍後皆付闕如，所以後代各史皆省。「本紀」記帝王，一方面有編年之遺意，以大事連綿、帝王踵繼表明時間的延續，一方面也不忽略描寫帝王這一個影響天下的人物本身。「列傳」明寫人物。「表」則以經緯交錯的表格把列傳敍述中容易模糊的大小事件的彼此時間關係全部表明，一方面補強了不少零星的小事，一方面明確了時間的架構。「書」則是專門記述列傳敍述中不便涉及的典制沿革，以補人物史的不足。後代各史，縱在「表」、「書」（即「志」）的分合設計上小有變化，但大體其格局都是一樣的。這一種體裁搭配，以梁啓超的說法最能點出其妙處：

其本紀及世家之一部分為編年體，用以定時間的關係；其列傳則人的記載，貫徹其人物為歷史主體之精神；其書則社會制度與自然界現象之記述，與人的史相調劑；內中意匠特出尤在十表，表法既立，可以文省事多，而事之脈絡亦具。《史記》以此四部分組成全書，互相調和，互保聯絡，遂成為一部謹嚴博大之著作。

無怪後代史家繩繩相繼，都不能廢其法而不用，《史記》遂成爲歷代正史的典型。

司馬遷發凡起例之功如此之大，但讀者切莫誤會《史記》爲漢代官方的一部官史。司馬遷雖在父死之後繼爲太史令，依史官成法寫作編年紀注一類的史書，但《史記》體裁既新，內容也多所刺譏，未必能爲官方所容；所以他應是在公餘之暇私下從事此書之撰作的。這在《史記》〈自序〉最後所說的「藏諸名山，俟後世聖人君子」數語中可以體會出來。他切切以孔子《春秋》自比，也是因爲感戚於孔子「其義則丘竊取之」、「知我罪我其惟《春秋》」的心情吧！

《史記》一般稱之爲「通史紀傳體」，則由於《史記》雖爲斷代正史的肇端者，卻獨獨爲一部通史。他既寫下漢興百年以來的君臣政事賢否得失，也一併敍述了五帝三王以來二千多年的中國全史。所以本紀中有《五帝本紀》、《夏本紀》、《秦本紀》等，世家中有《晉世家》、《楚世家》等，表中有《三代世表》等。限於史料多寡，敍寫難免先後詳略有殊，而點出變遷起伏，會通之功卻大。他自稱：「卒述陶唐以來，至於麟止，自黃帝始。」實際上記事的下限不止到武帝元狩爲止，還更延伸到太初、天漢年間。書共五十二萬餘言，耗去了他近二十年的光陰。其中《景帝紀》、《武帝紀》、《禮書》、《樂書》、《龜策傳》等十篇流傳之初即已闕佚，現有的據說由褚少孫諸人補成，但在風格上並沒有什麼出入。

史書最大的價值，當然應該在傳述史事一端。資料搜考是否詳確，敍述筆法是否忠實，都是衡評史書的重要條件。而若又能具有生動可觀的文采，甚至含藏使人感慨興發的思致，自然更可欣賞。《史記》在此諸項上都有極佳的表現。取材方面，他採取《左傳》、《國策》、《楚漢春秋》等書許多資料，堪稱博允；而身爲史官所能接觸的直接史料，更讓他如虎添翼。他所用的許多史料今日都已失傳，很難驗證其可靠與否；但甲骨文中所見殷王世系證實了《史記》〈殷本紀〉的敍述，使我們相信他作史的誠信。書法方面，他素負「善惡無隱」的美譽，揚雄、班固都稱之爲「實錄」。文采方面，《史記》同《左傳》一般，都是各種文選的寵兒，鴻文奇采一直影響著代代的文章家。思致方面，司馬遷更是超出在大部分史家之上，被認爲是偉大的歷史哲學家。下面姑且引據一些前賢的評語來說明《史記》的成就。班固繼司馬遷作漢史，他對司馬遷的認識頗具代表性，云：

> 遷有良史之才，善序事理，辯而不華，質而不俚。其文直，其事核，不虛美，不隱惡，故謂之「實錄」。

這主要論其記敘可信，兼又稱道其敘事雅健。「辯而不華，質而不俚」，是說他筆調不偏華麗也不偏俗薄。清馮班則云：

> 子長質而不俚，然序論形勢，指說人情，分明如畫，文亦有餘也。

這是辯白司馬遷雖質直卻非不能鋪陳描寫。其實史遷之文最可貴處還是在氣調上，蘇轍對此最能認知：

> 太史公行天下，周覽四海名山大川，與燕趙間豪俊交游，故其文疏蕩，頗有奇氣。

這才是別人不易學步的奇采。又史遷自言「究天人之際，通古今之變，成一家之言」，可知他作史尚有更高的懷抱，頗含思想的成分；此所以事文裡外、點點滴滴，都有可以思索品味的意致思理；程頤說：

> 子長著作，微情妙旨，寄之文字蹊徑以外。

呂祖謙說：

> 其義旨之深遠，寄興之悠長，微而顯，絕而續，正而變，文見于此而義起于彼，有若魚龍之變化，不可得而蹤跡者矣。

如此妙處，就不是普通史家所可企及的了。金聖歎以《莊》、《騷》、馬史、杜律、《水滸》、《西廂》爲天下六才子書，林紓以左、馬、韓爲天下文章之變化陸離不可方物者，都可說明《史記》在學士文人眼中的地位之不凡。

《史記》雖條暢易讀，由於用筆簡老，亦有意義難明處，必須參考後人之箋注。劉宋裴駰的《史記集解》、唐司馬貞的《史記索隱》及唐張守節的《史記正義》合稱《史記三家注》，三家分注合抄，頗爲切要，爲研讀《史記》的基本參考書。日人瀧川資言所著《史記會注考證》，在三家注外另收明、清人及日本學人的新說善解甚多，雖不盡精當，要亦頗便考覽。明人凌稚隆等所編《史記評林》，雖是隨文評點之作，也頗著墨於貫串事件、提撕章法，有助於理解欣賞。近人的若干選注本，也頗簡明可參。

(二)漢書

《漢書》書名，由班固自定。班固本非史官，居家修史，結果被告發「私改作國史」，經其弟班超詣闕上書說明，始得免罪，並獲授蘭台令史之職，於是次第完成其書。

班固，字孟堅，陝西人。他的生存年代正當東漢前期明章治世。父班彪仕漢爲司徒掾，好太史公《史記》，曾纂集史料爲《史記》之「後傳」六十五篇。由於家學淵源，他自幼累積豐博的文史素養，成爲日後寫史的重要依據。然因其人性情寬和，文采斐然，頗獲時君權臣寵愛，時常參預飲讌巡狩，作賦作頌，所以平生志事比諸司馬遷似乎少了一些史家的風骨敻絕，多了一些文人的浮華氣息。《漢書》比諸《史記》，也顯得溫潤有餘，格力不足。不過班固到底是名儒方家，義取中正，辭多典麗，因而《漢書》的規模氣象，史筆文章，仍然達到了相當的水平，總體的成就仍然很高。

《漢書》大體規仿《史記》，最明顯的不同就是斷代爲書，形式整齊。它所記述只是西漢一代人事，上起漢高祖，歷惠帝、高后、文、景、武、昭、宣、元、成、哀、平帝共十二君，凡二百三十年間事。不過表與志（《史記》曰「書」）爲了推明沿革，往往溯及前古。此外，二百多年人事前面一半已爲《史記》所收，《漢書》便大量因襲《史記》，只補充若干人物傳記及重要文獻。唯後期之史還是他全力作成。書凡百篇，也有析作一百二十卷者。其目如下：

紀　十二篇　自《高帝紀》至《平帝紀》

表　八篇　包括《諸侯王表》、《功臣表》、《百官公卿表》等

志　十篇　包括《禮樂志》、《食貨志》、《地理志》、《藝文志》等

傳　七十篇　自《陳勝項籍傳》至《敍傳》

從這裡頗可以看出《漢書》的「整齊」之長處。不獨斷代爲書可稱整齊，帝紀中不取司馬遷《史記》特別安排的〈項羽本紀〉，補上了司馬遷有意刪省的〈惠帝紀〉，並且廢棄「世家」一體，壹以漢王室的中央統治爲重心，都是整齊的表現。在表、志方面，時代限斷雖未必甚嚴，而例目分配則更有系統：表完整記下了西漢一代的侯王功臣名跡年世，比《史記》斷於武帝時遠爲完善；《百官公卿

表》歷記朝廷公卿官員更替，更是珍貴的行政史料；而十志能從更寬廣的角度定位，改《史記》的〈封禪〉爲〈郊祀〉，改〈河渠〉爲〈溝洫〉，改〈平準〉爲〈食貨〉，擴大了記載面，並加進了〈地理志〉與〈藝文志〉，記載疆域區劃民風土俗以及學術發展書籍存佚，把人物紀傳以外的歷史大端一一和盤托出，眞可說是巨眼通識，也眞能達到了整齊一代史事的目標。

斷代爲史始自《漢書》，以後相沿無改，成爲中國歷史記載的一個特點。這一種慣例，在近世常遭到無情的批評；譬如梁啓超曰：斷代爲史，等於以帝室爲歷史之中樞，於是歷史不復爲社會的、國民的，而成爲帝王家譜。其實此語不盡公平。朝代更迭本是中國歷史的重大變動，一切政治措施、思想主義甚至領導風格都相隨改變，歷史也就跟著不同，以此分界來寫歷史正是自然之勢。帝王雖不是歷史的重心，但確常常是歷史的有力推動者，又何可避開帝王與朝代來寫中國的歷史呢？何況斷代爲史甚有整齊明確的優點，劉知幾說：

如《漢書》者，究西都之首末，窮劉氏之興廢，包舉一代，撰成一書，言皆精練，事甚該密，學者尋討，易為其功，自爾迄今，無改斯道。

這是無可否認的事實。如謂斷代不能會通，則完整保存各代史事即是會通之資了，至少亦不能認爲全無意義吧？

班固作《漢書》，曾運用其父班彪所作「後傳」六十五篇，這在前文已經提到。當時曾續《史記》者另有十餘人，包括劉向、劉歆、馮商、揚雄、段肅、蕭奮等名家；他們的續記，應該多少也會爲班固所採取。抱朴子葛洪云：

> 劉歆欲撰《漢書》，編錄漢事，未得成而亡。故書無宗本，但雜錄而已。試以考校班固所作，殆是全取劉書，其所不取者二萬餘言而已。

由此更可見劉歆所集史材當是班固的重要史料來源。在〈藝文志〉及〈五行志〉的序文中，班固也早已自承刪取劉歆了。所以他作《漢書》雖歷時二十多年，恐怕不如司馬遷之苦心孤詣戛戛獨造。和帝永元四年，他因事下獄而死，《漢書》八表及〈天文志〉均未定稿，最後由和帝詔其妹班昭及馬續協同完成。

說到《漢書》的價值與地位，首先必須強調的是，班固對於保存史料有極深的功力與極正確的觀念。二百三十年事分爲四體寫成百篇，共用了八十萬言，幾乎把一代史事都勾串編織詳盡敘述到無遺蘊的地步。朱子曾說《史記》風格疏爽而《漢書》密塞，「密塞」也許影響文氣，卻絕對有益於史實。後人常用各種零星史料來補正史之闕，唯《漢書》最無可補。《漢書》字數偏多，又與班固的一個觀念有關，即他特別重視第一手史料；許多著名的名臣奏議，以及大文學家的鉅製鴻篇，都經由班固之手而纂入《漢書》獲得保存。趙翼說：

> 班固於文字之有關於學問、有繫於政務者，必一一載之，皆係經世有用之文，不得以繁冗議之。

此意極是。賈誼〈治安策〉，晁錯〈募民徙塞下疏〉，路溫舒〈尚德緩刑疏〉，賈山〈至言〉，董仲舒〈天人三策〉，公孫弘〈賢良策〉，以及韋元成、匡衡等名儒議對，司馬相如、揚雄等文士名篇，都完整呈現在《漢書》之中，極有助於知史考文。後代正史幾乎都受了班固的影響而襲此作風。此外，班固所創改的〈地理志〉、〈藝文志〉、〈食貨志〉等例目，確能有效包羅豐富的政治、經濟、學術、文化史料，在中國史學上有甚大貢獻。

班固留心史料，記敘大概忠實不虞差舛，但是他的史筆予奪並不十分令人滿意。由於個人性格比較平和保守，他的心胸識解相對比較拘謹平庸，論述某些人事時便顯得平軟無力。最明顯的例子是司馬遷稱許陳勝、吳廣揭竿抗秦，班固則以爲：「上嫚下累，惟盜是伐，勝、廣熛起，梁、籍扇烈。」不滿其興兵起義。又漢末反抗王莽的忠義之士，班固多未能稱述鼓吹。如王章剛直見害，班固說他「不論輕重，以陷刑戮」；翟義舉義敗死，《漢書》評他「義不量力，以隕其宗」。甚至司馬遷爲李陵仗義執言遂受宮刑，班固還譏他「博物洽聞，而不能以知自全」，做不到《詩經》「既明且哲，以保其身」那兩句話。此等處都可以看出班固知守經不知從權，能持平不能剛斷。如此心胸，當然其人也沒有什麼太高明的識趣，《漢書》中自不容易出現《史記》中那種深邈耐人尋味的「微情妙旨」了。這確是《漢書》比較遜色的地方。范曄在《後漢書》〈班固傳〉中評論其人其書，曰：

> 二子有良史之才，遷文直而事覈，固文贍而事詳。若固之序事，不激詭，不抑抗，贍而不穢，詳而有體，使讀之者亹亹而不厭，信哉其能成名也。
>
> 然其論議常排死節，否正直，不敍殺身成仁之為美。

這段話說得恰切之至。「詳贍」本是班固爲書最大本領所在，兼以他的文氣平和，沒有司馬遷那般慷慨跌宕，所以敍事娓娓有致，溫潤大方，確是名家手筆。然而得於此者失於彼，他的是非愛憎也流於平弱，甚至被評爲「排死節、否正直」，減去了聲價不少。倒是他的文采，以豐華整麗勝，長期以來擁有不少知音，總體評價殆不在司馬遷之下。

《漢書》文勝於質，常用古字駢句，屬於典雅一派，非可一望即識，所以其書注本較多。唐人顏師古採取服虔、應劭以下二十餘家之注，刪繁補略，成爲研究《漢書》最精要的名注。清人錢大昭、沈欽韓、周壽昌等皆以精研兩漢史書名家，周壽昌曾作《漢書注校補》五十六卷，其弟子王先謙遂能完成一百二十卷的《漢書補注》，資料豐富，考証翔實，字數多達百餘萬言，可說是清儒考史的偉大成績。讀者參考顏注王書，研讀《漢書》幾乎已無復疑難了。

㈢後漢書

漢晉以還，史學快速發展，作史風氣大開，寫作《後漢書》或《後漢紀》、《續漢書》者不下十餘家；其中成就最佳者爲范曄，其書列入正史，而餘書多半亡佚。

范曄，字蔚宗，河南人。生當晉、宋之交，成學猶在晉末，入仕已在宋初。祖范寧，父范泰，皆有名，可稱文雅世家。故范曄薰陶有素，一旦接觸史學，即能深得統緒，比馬、班並不多讓。其人據說多才多藝，個性輕狂，恃才傲物，但《後漢書》中論述有序，並不見有飛揚浮躁之氣，反而覺得見解卓特，不與俗同。作書始於三十五歲貶居宣城太守時，前後費時當在十年左右。四十八歲時，因首謀造反被誅於市。這一造反事件，雖與作史無關，卻與他的品格有關，應該加以注意。而此事恐怕是政敵的誣陷，不能輕信，清王鳴盛、陳澧都有論證。然則史冊中對其人品的負面評價也都不可輕信，他所作的《後漢書》中許多大義凜然之筆，便值得吾人之鄭重看待。

《後漢書》亦採斷代紀傳之體，記東漢光武帝、明、章、和、安、順、桓、靈、獻等十三帝近二百年事，共分十紀、八十傳。另外還有八篇志，則非范曄之作，而係司馬彪《續漢書》中所有，由梁人劉昭纂入范書。原本范曄擬作十志，囑託謝儼負責，結果事敗見殺，謝儼盡毀其稿，蠟以覆車，使得范書成為無志、無表的偏枯之作，只得取司馬彪書略爲補益了。今書共有九十八篇，析作一百二十卷或一百三十卷。十三帝只有十篇紀，是因爲范曄把沖齡短壽的小皇帝殤帝、少帝、沖帝、質帝之紀都省略，如此而爲九；外加一篇〈皇后紀〉，則間接點出了六代皇后臨朝稱制的不正常現象；可謂在班固的整齊和司馬遷的恢奇間，他又比較傾向後者了。八十篇傳也是如此，《史記》有〈貨殖〉、〈游俠〉、〈刺客〉、〈滑稽〉、〈日者〉、〈龜策〉等極有特色的彙傳，班固《漢書》多予刪省，使得時代映象不夠凸顯；《後漢書》則又新創〈黨錮〉、〈宦者〉、〈獨行〉、〈逸民〉、〈文苑〉、〈方術〉、〈列女〉等七篇彙傳，把一代特具異采的人物盡行搜錄，大大提高了其書的鮮明度。此外人物列傳也多半以類相從，與《漢書》大體依照時代先後編次不同，反與《史記》的屈原、賈誼同傳或魯仲連、鄒陽同傳一例。他書中共記五百多位人物，每傳涉及之人較多，有時分別主從，有時輕墨點染，都經悉心考量，所以人事雖多而文辭不費。至於司馬彪的八志，分作三十卷，出於自創的只有〈百官〉、〈輿服〉二志，卻把班固所設極有意義的〈食貨〉、〈藝文〉二志略去，又改〈地理〉爲〈郡國〉，放輕了人文記載的比重；故雖有保存史料之功，卻嫌史識不夠深透，似乎比諸范曄見爲不如。范書無表，南宋熊方曾補作了三個表，清萬斯同又擴大爲七個表，都可參考。

《後漢書》與《史記》、《漢書》相比，還有一個不同的地方，即作書已在漢亡之後二百多年，中間已隔了三國魏晉，一切恩怨牽連都已完全斷盡，也沒有父命史職種種囿限；在許多的相關著作輔助之下，范曄可以自由編織採取，平心獨斷；所以《後漢書》的整個論述態度是冷靜而明敏，一切材料都在充分消化後徐徐吐出，有條有理；不像《漢書》，雖說娓娓道來，卻常耽於敍述無法自拔；也不像《史記》，常有逸出格外的奇致鬱氣。也因爲充分消化，匠心獨運，所以其書組織特見周密，一切人事各歸其所，簡嚴有力。劉知幾曾言：

> 范曄之刪《後漢》也，簡而且周，疏而不漏，蓋云備矣。

這確實是知味之言。各家《後漢書》之中，范曄比較最欣賞華嶠之作，所以書中採取其書較多。重要的奏議文章，仍法班固《漢書》之例，收錄不少。不過范書意在整理一代史事並正定得失，又自稱「以文傳意，然後抽其芬芳、振其金石」（見〈獄中與諸甥姪書〉），故雖文學成就不小，史學價值頗高，距離司馬遷以史作子、上追群經的精神卻是相去已遠，那種「究天人之際、通古今之變」及「撥亂世反之正」的氣概已經無形失落了。

論到《後漢書》的價值，取材、敘事、整理、編排，都甚可觀；更可貴的是他議論高暢，見識宏通，義理精明，對後人之知史論史有正面的引導作用。范曄對此亦深爲自負，自言：

詳觀古今著述及評論，殆少可意者。班氏最有高名，既任情無例，不可甲乙辨；後贊於理近無所得；唯志可推耳。博贍不可及之，整理未必愧也。吾雜傳論皆有精意深旨，既有裁味，故約其詞句。至於〈循吏〉以下及六夷諸序論，筆勢縱放，實天下之奇作。其中合者，往往不減〈過秦〉篇。

他以爲班固「任情無例」，耽於事情，尤其短於義理；自己則整編有方，尤其長於議論。平心觀之，他的〈西羌傳論〉、〈南匈奴傳論〉等，都能中肯分析東漢的邊禍之起，邊政之失，極知大體；〈儒林傳論〉及〈左周黃傳論〉盛道東漢政衰於上而士振於下，「所以傾而未顚，決而未潰，豈非仁人君子心力之爲乎」，極激昂感慨之致；〈胡廣傳論〉曰：「如令志行無牽於物，臨生不先其存，後世何貶焉？」〈馬融傳論〉曰：「終以奢樂恣性，黨附成譏，固知識能匡欲者鮮矣。」都能諒直深警，識解如此，也無怪其誇口了。清王鳴盛《十七史商榷》中盛讚《後漢書》的史裁，曰：

范書貴德義，抑勢利；進處士，黜姦雄；論儒學則深美康成，褒黨錮則推崇李、杜；宰相無多述，而特表逸民；公卿不見采，而惟尊獨行；立言若是，其人可知。

的確，范曄勇於表彰有德有學的義士雅人，卻未必鋪寫王公貴卿，有其獨到的識趣；而褒崇才行高秀的婦女，高隱不仕的處士，以及一節之士如文人、術士之類，都可看出他的眼光大，心胸寬，歷史感也夠敏銳。可以說，史家所應具有的最重要條件，范曄已經具備。後世作者雖欲追步，往往瞠目難及。

後漢書也有一著名注本，即題名唐章懷太子李賢注的本子，由張大安、劉訥言等人協同作成。注中引用劉珍《東觀漢紀》及謝承《後漢書》不少，訓解也切要明當，頗有貢獻。不過司馬彪八志原有劉昭所作的注，章懷仍而不改，所以劉昭其人亦不可沒。清儒惠棟作《後漢書補注》二十四卷，王先謙又採清人注解考訂諸說與章懷注、惠氏補注一併合刊，成《後漢書集解》一百二十卷，是爲最方便齊全的注本。

㈣三國志

東漢獻帝建安二十五年，曹丕篡漢立魏，不久蜀漢劉備及東吳孫權也分別稱帝，史稱三國時代。三國由分立到復歸統一，共歷六十年；當時司馬氏又已篡魏立晉；不二十年而晉復亂，中國遂陷入所謂魏晉南北朝之長期分裂中。陳壽此書即記三國分立前後近百年內之事。書名《三國志》，一望而知是分裂狀態之史，其不易著筆亦可想像。

陳壽，字承祚，四川人。他生於蜀漢，蜀亡入晉，死於晉惠帝時，可說親見三國的覆亡，發願寫下三國史事本極自然。其師譙周，爲蜀名儒，曾撰〈古史考〉。陳壽亦有史才，除《三國志》外另有《古國志》及《益部耆舊傳》等著作。在蜀漢時，他曾因不肯屈附權宦黃皓而沈滯，想見人品不俗。但據《晉書》指稱，他曾向丁儀、丁廙索米千斛以換佳傳，兩丁不與，《三國志》中遂不爲立傳。這對史家之品節卻是極嚴重的指控。幸而清人朱彝尊、杭世駿、王鳴盛等都替他辨誣，舉出許多反證證明丁氏兄弟依例本不應有專傳，《晉書》好引雜說多不可靠，才將他的惡名洗清。他作《三國志》，雖然爲顧忌當朝觀感而有若干曲筆隱諱之處，卻也想盡辦法保留眞相、表明是非；那種勉持公道的苦心，應該得到後世讀者的體諒和尊重。

《三國志》限於所記時代過近，一方面下筆難免顧忌，一方面史料亦不齊備；分裂的三方雖然各有一些私史可供參考，公家記述卻缺損封閉且互相攻詰彼此矛盾，因而大須斟酌考較。陳壽的能事，主要在把三國的糾葛理清，大勢判明，釐出主要人物事件是非本末，剔去不易考證的模糊矛盾可疑記載，而得到三國史事的清楚輪廓。其書篇幅輕小，無表無志，似有可議，而實有可原。書共六十五卷，分爲《魏書》三十卷，《蜀書》十五卷，《吳書》二十卷。其中《魏書》有四紀二十六傳，《蜀書》、《吳書》皆但有傳，顯然尊魏爲帝室正統。唯《蜀書》中的〈先主傳〉、〈後主傳〉及《吳書》中的〈吳主傳〉、〈三嗣主傳〉都以編年的形態撮記大事，形同本紀，可見陳壽意中承認三國鼎立的事實。

書名《三國志》而不名《魏書》其實也有此意。《史通》〈列傳篇〉言：

陳壽國志載孫、劉二帝，其實紀也，而呼之曰傳。

劉知幾以爲這是陳壽「未達紀傳之情」，殊不知他妙手安排自有一番避禍寫眞的苦心。書中細處，往往如此。魏紀始於曹操，傳始於董卓，蜀傳始於劉焉、劉璋，吳傳始於孫堅、孫策，都爲追溯遠源，不以破格爲嫌。三國之中，《蜀書》雖只有十五傳，而記蜀事獨精，甚至登壇告天之文以及立后、立太子、封大臣的詔策，幾乎都予以載錄，隱約顯露陳壽的眞心所向，固不能以其書篇幅的大小遽論其尊誰斥誰。

不過《三國志》中稱《蜀書》，稱蜀，其實已經受到政治因素的扭曲。劉備爲漢中山靖王劉勝之後，雖即位於蜀，卻自稱嗣漢正統，所以其國號爲漢不爲蜀。諸葛亮言「漢賊不兩立」，並不言「蜀賊不兩立」。只是曹魏不肯承認其地位，故意抑黜之爲蜀罷了。《三國志》就此一點而言已是明顯不忠於歷史。

三國中以誰爲正統，似乎顯示作者的政治立場，因而長期以來引起不少爭議。其實陳壽無法不以正統予魏，《四庫全書總目提要》云：

壽身為晉武之臣，而晉武承魏之統，偽魏是偽晉矣，其能行於當代哉？

這確是無法規避的現實問題。揆諸陳壽對蜀漢的態度，他的意識型態並未過分偏差，也不宜再以正統之見對他多所責求。倒是由此而生的「迴護」筆法的確對歷史的眞實性造成相當的傷害，陳壽恐怕不得不任其咎。最典型的例子是他把曹氏逼漢說成漢酬曹德，也把司馬氏逼魏說成魏主無德，因此有「天子以公領冀州牧」、「漢罷三公官，以公爲丞相」、「天子使郗慮策命公爲魏公，加九錫」、「天子進公爵爲魏王」、「漢帝以衆望在魏，乃詔群公卿士，使張音奉璽綬禪位」等等記事，好似曹氏威德日盛，漢獻帝遜讓不遑之狀；范曄《後漢書》在此則作曹操自領、自爲、自立、自進號，曹丕稱天子，不稍假借。同樣的情形，魏末三位廢帝齊王曹芳進司馬懿爲丞相；高貴鄉公曹髦加司馬師黃鉞，加司馬昭袞冕、赤舄、八命、九錫，封晉公；以及陳留王曹奐封司馬昭爲晉王，冕十二旒、建天子旌旗，終又禪位于司馬炎等事，也都一例津津道之，全不見篡奪實情。甚至於司馬師廢曹芳及司馬昭弒曹髦事，魏紀也曲筆隱諱，藉手側寫二人無道不孝爲太后不容等情。迴護至此，歷史的眞實何在？史家的公道何在？後世宋、齊、梁、陳次第篡奪，國史統通襲用《三國志》書法曲加迴護，不能不說陳壽是始作俑者，罪亦大焉！然而仔細尋索，陳壽在此等重要關節處曲護當道，實屬有苦難言，而某些微意細筆，卻正透露出他的眞意：比如獻帝禪位曹丕時有李伏、劉廙、許芝等勸進之表十餘道，曹丕固辭之令亦十餘道，惺惺作態，令人厭惡，陳壽一律刪去不載。又如〈三少帝紀〉，純用當初種種廢立詔令原文來呈現三位少帝之「無道」，四位司馬之專恣，並不多加一語評判，反而若有冷眼旁觀奪權大戲照本宣科的嘲諷意味。所以陳壽作史的環境特殊，手法特殊，讀史者還當要加意體察。一般而言，除卻維持魏晉正統權威這一點，《三國志》仍被認爲是一部信實可靠的史書。錢大昕〈三國志辨疑序〉云：

> 吾所以重承祚者，又在乎敘事之可信。蓋史臣載筆，事久則議論易公，世近則聞見必確。三國介漢、晉之間，首尾相涉，垂及百年，兩史有違失者，往往賴此書正之。

即使批評陳壽頗力的趙翼，也在《廿二史箚記》中說：

> 《三國志》雖多迴護，而其剪裁斟酌處亦自有下筆不苟者，參訂他書而後

知其矜慎也。

這一矜愼小心的態度或許影響了史料的收納，卻提高了其書的質感。總之，《三國志》記事簡質，行文雅潔，在正史中評價甚高；宋人晁公武所說「高簡有法」四字，恰可以作爲其書的定評。

《三國志》還有一個特殊的注本，不可不記。就是劉宋裴松之奉宋文帝詔而作的注。只因陳壽原書太過簡略，缺憾時有；百年以來，史料間出，遂有參照補充的想法。這一注本，篇幅幾達原書三倍，不主訓詁，意在補史；照裴松之自己的說法，共有補闕、備異、懲妄、論辨四大目的。他搜輯徵引的雜史小書共約二百一十種，數量委實驚人。三國史事，經其補益，增添不少枝葉。無怪乎宋文帝說「此爲不朽」，錢大昕也稱他爲「陳氏功臣」。裴松之自言「繪事以衆色成文，蜜蜂以兼採爲味」，意思是搜輯不避其繁；後人則或批評他「嗜奇愛博，頗傷蕪雜」（《四庫提要》語）。持平而論，陳書語多矜愼，許多材料未必是壽所未見，可能是他所不取，所以裴注未必眞是多多益善；不過裴氏在廣搜博採之外，對史料的揀擇排比也確有相當功力，不容抹殺。漢魏遺籍今所存者不到十分之一，裴注抄錄材料又多首尾完整，單從保存文獻的角度而言，其附加價值就不容小覷了。總之，裴注與《三國志》本書合爲雙美，其重要性大大超過一般的注疏，值得讀者另眼相看。

民國人盧弼曾仿王先謙《後漢書集解》之例作《三國志集解》，治清儒梁章鉅、趙一清等人的成績於一爐，既注陳書，兼注裴注，頗便參考。

編　年

(一)資治通鑑

編年之體，應該是中國最早的史體，現在仍看得到的編年史有魯史《春秋》、《左傳》，以及戰國魏史即《竹書紀年》，以及後作的《漢紀》、《後漢紀》等少數幾種。若論卷帙之大，涵蓋年分之長，應用之廣，則《資治通鑑》自爲代表性的名作。

《資治通鑑》由北宋名儒司馬光主撰。光，山西人，生當北宋中期仁宗、神宗時代，經史湛深，道德文章爲一世所歸仰。他爲人端愼，政治態度較爲保守，所以與主張變法的王安石多所不合，遂將中晚年全部的時間精力投入酷嗜的修史事業中，在朝廷帝王及同道友好如劉恕、劉攽及范祖禹的全力支持下，及身完成了這部三百餘卷的史學巨著，在中國史學史上大放光芒。

《資治通鑑》完全採用編年之法撰成，時序清晰，言簡事賅，浮文一切刪去，要義時加論辨，上起戰國三家分晉之年，即周威烈王二十三年，下迄五代最末後周世宗顯德六年，凡一千三百六十二年間事，分《周紀》、《秦紀》、《漢紀》……等十六紀一氣敍下，這就成爲《史記》之後另一部偉大的通史。並且四時月日，斑斑可考。各代正史固爲其主要的史料來源，但超出正史的資料極多。據高似孫《緯略》統計，其書採據的文史書籍共達三百二十二種。正史紀傳中人物凸出但事件孤立且時序模糊的缺點，在此得到了相當的調整。不過《通鑑》的取材也有它自身的節限：因爲此書本爲帝王取資治道而作，具有儆誡提撕的現實意義，所以某些比較平淡不見影響的事項如學術文化的發展之類，記載相對減少。司馬光自言：

常欲上自戰國，下至五代，正史之外，旁采他書，凡關國家之盛衰，繫生民之休戚，善可為法，惡可為戒，帝王所宜知者，略依《春秋傳》體為編年一書。

重心如此，好處是大美大惡昭然洞見，得失休咎脈絡分明，缺點便是史書的全面性略有微憾。但它明道警世的功用則又超出於一般史書之上。

《資治通鑑》的編修方法之科學也值得大書特書。宋英宗既許司馬光成立書局，又許其自擇館閣英才一同助修，於是在得力僚屬的協助下依以下步驟進行：

一、確定「叢目」。以當代曆學名家劉羲叟的《長曆》爲基準，將所有年時月日確實考定，再將初步可考之事件依序繫入。

二、編輯「長編」。每一事件儘量搜求史料，務求詳備，並儘量理出端緒，羅列備索。如有異說，則予考證，以憑取捨。

三、刪爲定稿。由司馬光親自操筆，將近似於史料大全的長編大力修裁，寫成明快有組織有條理且文理一致的大書。中間刪取的過程，大略亦有粗刪、精刪兩次，刪去的部分在五分之四以上。

四、寫出〈考異〉。《通鑑》一書附有三十卷〈考異〉，凡說有異同，雖只取其一，卻在〈考異〉中將其他異說列出，並說明自己取捨的理由，使讀者可以覆按。

這樣精密的編修方法，一方面可藉群體之力突破個人搜採記纂的極限，一方面又能全出一手鎔鑄，避免集體工作的鬆散無統之弊；一方面能寫成簡明精切、深入淺出的信史，一方面又不忽略龐雜的史料與精細的考據；眞可謂是計慮至熟而面面俱到了。無怪乎《四庫提要》稱爲「網羅宏富，體大思精，爲前古所未有」。三位主要的助手，劉攽貢父主修兩漢，劉恕道原主修三國至隋，范祖禹淳夫主修唐五代，都屬一時之選；司馬光本人則日夜勤劬，晚年自課每三日刪定一卷，備極煩勞。據黃庭堅所見，書成之後餘稿積滿兩屋，無一字潦草。最後遂能完成這一部三百萬言的巨著。

《通鑑》雖係編年之作，其實也多少融會了紀傳的長處。譬如它雖以年月爲綱，卻常用追敘、插敘、補敘的方法交代人事原委，所以記事不覺片斷割裂。又重要文獻亦不忽略，惟不取文學作品。又往往隨事發論，辨析極精，大處落墨，不再囿限於《春秋》一字褒貶的故技。因而使長久沈晦的編年史開一新葩，重新爲史界所重視。往後此類史書一時風行，得與紀傳正史相輔並盛。《資治通鑑》的論議共有一百八十六篇，八十四篇取諸司馬遷、班固、荀悅、袁宏、孫盛、范曄、裴子野、顏之推、柳芳、歐陽修等人，一百零二篇由司馬光自撰，多能在盛衰得失的大關節處愷切指點，尤貴能謹守聖道的準繩，不偏於雜霸功利之見，所以極受後人的推重，使其書在史料價值之外又添一重教育價值。朱子謂其書：

> 上下若千年間，安危治亂之機，情偽吉凶之變，大者綱提領挈，細者縷析毫分；心目瞭然，無適而非吾處事之方。讀此書尤能開滌靈襟，助發神觀。

曾國藩亦曰：

> 其論古皆折衷至當，開拓心胸。如因三家分晉而論名分，因曹魏移祚而論風俗；皆能窮物之理，執聖之權。又好敘兵事所以得失之由，脈絡分明；又好詳名公巨卿所以興家敗家之故，使士大夫怵然知戒；實六經以外不刊之典也。

兩家的讚譽，司馬光《通鑑》受之無愧。

《通鑑》惟一比較明顯的缺點是繫年方式爲求簡明不能兼顧分裂或斷續的狀況。三國時記蜀漢事用魏年號，南北朝時記北朝事用南朝年號，以及一年之中父死子繼而年初已經逕改後號之類，都會使得讀者瞀亂誤解。避免此病，只有時時小心對照。明嚴衍《通鑑補》在此方面便補注甚詳。

宋元之交，胡三省曾爲《資治通鑑》作了詳細的音注，有校字、有考制度、考地理，有注音，有訓詁，亦有評論，頗稱精審。前四史尚有舊注可參，晉朝以下，變遷劇烈，而史注闕如，胡氏自起爐灶，功力可想而知。近人陳垣先生有《通鑑胡注表微》一書，對胡氏生平學術及其書價値有清楚介紹。

(二)續資治通鑑及其他

《資治通鑑》之後，編年史的寫作又見風行，出現了不少接續《通鑑》的作品。《通鑑》止於五代，記北宋史事則有南宋李燾所作《續資治通鑑長編》。書稱《長編》，因爲李燾取材不厭其博，有如《通鑑》定稿之前的「長編」，他自謙不能如司馬光的斟酌至當，只肯自居於「長編」的地位，故書名《續資治通鑑長編》。卷帙極大，凡九百餘卷，修纂費時四十餘年。由於鈔刻不易，陸續有所佚失。今本乃清修《四庫全書》時自明《永樂大典》中抄纂拼成者，共有五百二十卷，已非全璧。尤其徽宗、欽宗兩朝全缺。但在保存史事上，此書的價值仍極重大，因爲李燾取材排比的方法極爲周密，且年代愈近見聞愈眞，許多記載與《宋史》比較立可見出優劣。李燾同時稍後，又有四川同鄉李心傳作《建炎以來繫年要錄》，仿《通鑑》之例，續《長編》之後，專記南宋高宗建炎、紹興凡三十六年史事，取材豐博，記敍翔實，考證精詳。今本亦由《四庫》館臣自《永樂大典》中輯出，凡二百卷，亦是研究南宋初期歷史的必備之書。此下直到明代，又有薛應旂、王宗沐兩家纂成通錄宋、元兩代共二百餘年事的《通鑑》體史書，簡稱《宋元通鑑》；薛著凡一百五十七卷，王著凡六十四卷；兩書篇幅既小，成就平平，地位實不能與司馬光《通鑑》相比。清初遂有徐乾學，重以宋、元兩代爲主體編成《資治通鑑後編》一百八十四卷，超薛、王而上之。迄清中葉，又有江蘇畢沅重作此一段編年史，定名曰《續資治通鑑》，凡二百二十卷。畢《鑑》

既出，諸書多廢。在此暫只介紹這部較有代表性的《續通鑑》。

畢沅生當乾嘉時期，頗受當代學風影響，長於經史考據，旁涉小學、地理、金石，既逢《四庫全書》開館官修，各種公私資料彙集，尤以李燾《長編》及李心傳《繫年要錄》重新抄輯成書，提供了昔人所未見的重要史實，遂以考證家的精神投入《續通鑑》的纂修工作，遂能後來居上。另一方面，他歷任方面大員，頗能知人舉才，邵晉涵、洪亮吉、孫星衍、章學誠等名儒均在幕中，故得與諸賢共同商榷，群策群力以成書。其書即以徐乾學的《資治通鑑後編》爲基礎，博考群籍補充增訂，除宋代史實多用李燾及李心傳之說外，更採取《遼史》、《金史》及其他史料大量加強宋末以迄遼、金的記事，又以文集、說部等補敘元事；於是宋、遼、金、元歷史居然井井具於目前。

這部《續資治通鑑》，大體已能兼及各方，綜括當時所有重要史實，敘述亦詳而不蕪，考訂亦頗稱矜慎，畢沅亦仿司馬光在史料取捨處自撰〈考異〉逐條說明，便於後人閱讀理解，所以當然有其一定的價值。然而若與司馬光《通鑑》相比，它在史學成就上恐怕要瞠乎其後。第一，它的文字幾乎全從舊史料中剪裁抄錄，使成條理，不似司馬光一手融鑄，理全事具，神完氣足；第二，它不作人事評論，文盡而止，不似司馬光議論堂堂，剴切明暢，足以開拓心胸。只可說，畢《鑑》在考訂排比資料方面也有相當功力，卻不能逕以偉大的史家史著許之。

《續資治通鑑》不及明事，大約因爲明、清易代之際史多隱諱，史家難免顧忌。直到清末咸同年間，才有夏燮出而作成《明通鑑》一百卷。燮，安徽人，孤寒力學，留心明史；他的《明通鑑》，主要依據《明史》，永樂、正德、嘉靖數朝官方《實錄》，以及清代新修的《通鑑綱目三編》，並輔以各種野史、文集等材料撰成。雖然獨力作書見聞尚不甚廣，但是首尾該洽也是一大長處。大體而言，此書敍述詳略適中，取材切要，附有〈考異〉，議論雖略嫌迂腐而不失平正，仍可視爲研究明史的重要參考。

至於清代的編年《通鑑》體史書，迄今不聞有人編撰完成。但清代官方所撰編年體《實錄》數千卷具在，材料不虞匱乏。如何提綱挈領剪裁衡定，正有待於後賢。

紀事本末

(一)通鑑紀事本末

紀事本末之體，以一事件爲中心而詳記本末，雖與《尙書》體式相類，但在我國發達甚晚，不能與正史紀傳之體及編年之體相比。三者一記人，一記年，一記事，所重不同而可相互爲用，故清修《四庫全書》時特將紀事本末一體上提於史部第三類，與正史、編年相次，號爲「三體」。在此即先介紹所謂「九朝紀事本末」中最早作成的《通鑑紀事本末》。

《通鑑紀事本末》顧名思義當然是以《資治通鑑》所涵蓋戰國至五代史事爲內容的記事史書。其撰作創造當然是在《通鑑》完成之後，也就是在北宋之後。事實上，這部書的原始材料完全採自《通鑑》，幾乎可說是《通鑑》的子弟編。由於創意良好，義法嚴密，一時大受讀者歡迎，子弟遂又卓然成家。

袁樞，字機仲，福建人。生當南宋前期，與朱子略同時。據說他喜讀《資治通鑑》而苦其浩博，乃區別其事而貫通之，遂偶然成就了《通鑑紀事本末》一體，初不自料其在史學上大有創闢也。他的作法，本來亦甚簡單，就是把《通鑑》中每年每年分散割裂的記事，擇一宗大事爲中心，集合若干年若干記載爲一題，安上一個題目如「三家分晉」、「高帝滅楚」、「漢通西南夷」之類，依序抄集相關的《通鑑》原文及評論，使每題自成一單元，始末因果豁然明朗。當初司馬光重興編年之史，意在對於篇卷繁重、時事脈絡隱約錯出的紀傳體求突破；今日袁樞發明紀事本末，何嘗不是對於首尾隔越、事勢進展尚欠明晰的編年體再求突破。於是歷史大事遂眞能以最無罣礙的型態展現於讀者之前。這在史法上不能不說是一大新猷。縱然袁樞妙手偶得，用力少而爲功甚大，我們仍不能抹煞他的貢獻。

《通鑑紀事本末》選取的大事題目共二百三十九目，如連同附錄的六十六事合算，可說集中記錄了三百零五個事件。此等數目，當然不是有意湊合，而完全取決於事件本身是否足夠重大。不過重大不重大往往容易從事件的表相上看而流於偏斷：第一，有些事件的資料嫌少；第二，有些事件的形態比較靜態；第三，有些事件的影響一時難以看出；結果它們在歷史上的重要性就被低估或忽視了。袁樞所選的三百零五個大事，絕大部分都是軍事及政治大事，有關學術與文化的幾乎沒有，有關經濟與民生的也絕少。比如秦朝驟起驟滅，他用「秦滅六國」及「豪傑亡秦」二目加以概括，但秦政中間頗有關係的一些節目，如焚書坑儒，如統一度量衡、統一文字，如廢封建行郡縣，他都未嘗注意。即使政治大事，他也只注意了那些變叛爭權等事，而忽略了治平建設成績。比如漢代享國甚久，他用三十九目陳述甚詳，卻專寫那些「諸呂之變」、「七國之叛」、「漢通西域」、「武帝伐匈奴」、「竇氏專恣」、「嬖幸廢立」之類事件，而絕未涉及文景之治、宣元中興、明章之治。所以我們必須了解，紀事本末之體對於迅速掌握歷史變局要端有其顯著的長處，但並不能正確呈現全部歷史的眞貌；換言之，它在中國史學上雖是一個精要的新體，卻未必達致更高的史學成就，表現更佳的史學精神。

清代大史學家章學誠對於紀事本末之體則有相當的期許。他以爲這一史法隱約透出了古史的原型，而其運用之靈活不測更有極大的伸展空間。《文史通義》

〈書教篇〉云：

按本末之為體也，因事命篇，不拘常格，非深知古今大體，天下經綸，不能網羅檃栝，無遺無濫。文省於紀傳，事豁於編年，決斷去取，體圓用神，斯真《尚書》之遺也。在袁氏初無此意，且其學亦不足與此，書亦不盡合於所稱，但即其成法沈思冥索，加以神明變化，則古史之原隱然可見。書有作者甚淺而觀者甚深，此類是也。

「文省於紀傳，事豁於編年」，固是本末一體的優點；尤其可貴的是，若能自宏觀的角度抓住歷史的主脈，集中筆力作透徹的記述發揮，則歷史的大體段更容易凸顯，歷史的眞教訓更顯得鮮明；那才可說是剝落枝葉，盡露精華；那才當得上消靡臭腐，盡化神奇。當然這是所有作史、讀史者嚮往的極高境界。不止古史懸此一格，現代化的新史亦何嘗不群趨於此等標格。不過章氏自己也已經指出，如果不能「深知古今大體，天下經綸」，則其決斷去取難免受限於個人主觀識解而發生偏差，則記事之史的優點便要大打折扣了。即如《通鑑紀事本末》，其所憑依以成書者本是司馬光的《通鑑》，取材考據的工夫已經節省大半，尚且不免多述政爭變亂，使人對歷史的認知不盡正確；倘若取材考據還須自行著手，則所能造至恐怕更堪疑慮；所謂「體圓用神」的新體，固須提防體圓或至不成體，用神或至賊其用。

無論如何，紀事本末之體總算是在紀傳、編年之外另闢蹊徑，有其簡要明通的特長，誠如《四庫提要》所說，「紀傳之法，或一事而複見數篇，賓主莫辨；編年之法，或一事而隔越數卷，首尾難稽」；本末之體則能「經緯明晰，節目詳具，前後始末，一覽了然」；也難怪出版家閔萃祥在匯刻《九朝紀事本末》時強調此體「一變編年、紀傳之例而實會其通，誠記事之別格，史學之捷徑」。

(二)宋史紀事本末及其他

閔萃祥所刻《九朝紀事本末》，除《通鑑紀事本末》外，另收宋、元、明、遼、金、西夏之《紀事本末》，外加《左傳紀事本末》及《三藩紀事本末》而為九。其實本末體史書尚不止九，如李銘漢所撰《續通鑑紀事本末》及黃鴻壽所撰《清史紀事本末》等書，殊為不惡，但因撰成年代稍晚，遂不甚為世人所知。又有書名不用「紀事本末」者，如馬驌所撰《左傳事緯》，其實等於《左傳紀事本末》，而往往被視爲經部之書。在此暫只介紹陳邦瞻的《宋史紀事本末》及《元史紀事本末》。

陳邦瞻，江西人，作書於明代後期神宗萬曆年間。《宋史紀事本末》先成，約六十萬言，共分一百零九目；《元史紀事本末》後成，約十萬言，分二十七目；兩書有如一書的上下編。他的參考資料，除宋、遼、金、元四代正史外，還以薛應旂的《宋元通鑑》及明代官修的《續通鑑綱目》爲佐。在宋代部分，由於馮琦及沈越原有未完成的類似著作，陳氏寫來有所依憑，更覺得心應手。《宋史》、《元史》向稱繁蕪、冗雜，不易閱讀；自有兩史《紀事本末》，兩朝史事始易把握。《四庫提要》曰：

> 一代興廢治亂之跡，梗概略具。袁樞義例最為賅博，其鎔鑄貫串亦極精密；邦瞻能墨守不變，故銓敘頗有條理。諸史之中，《宋史》最為蕪穢，不似《資治通鑑》本有脈絡可尋；其尋繹之功，視樞為倍。

這一評斷頗爲公允。

欲將一代大事分為若干要目編組成章自然呈現，實須相當的史識，相當的手段。陳邦瞻在此方面的成就可說尚有超越袁樞之處。且不言其剪裁尋繹的工夫，單看他在選目上兼顧學術文化、經濟民生的作法，便比袁樞更為得體。《宋史紀事本末》中王安石變法、洛蜀黨議、濮議、學校科舉之制、道學崇黜、北方諸儒之學、營田之議、治河、茶鹽榷罷、公田之置諸目的安排，顯現作者對於大政經綸的眼光，對於文教生計的重視。比起袁樞《通鑑紀事本末》特重敍述簒、亂、叛、逆、平、滅、討、伐諸事，可謂得失顯然。《元史紀事本末》雖只二十七目，也不忽略「元代推步之法，科舉學校之制，以及漕運、河渠諸大政」（《提要》語），與前編作意一貫。這實在是本末一體發展的正道。縱使陳邦瞻論事觀點稍嫌保守，我們仍應肯定他的努力。

說到裁取編排是否妥當，陳氏在《宋史》中附記北方遼、金、元重大史事，乍看似乎失於斷限，其實倒是情有可原。北方諸部族長為宋患，載筆之際略加提點本極自然。不過「蒙古諸帝之立」、「蒙古立國之制」諸目既立，《元史紀事本末》中不便重出，遂使《元史》開頭即為「江南群盜之平」，殊覺突兀。大抵元初至正十六年以前事均入《宋史》，而元末朱元璋起兵以後事又劃爲《明史》範圍，以致《元史紀事本末》讀來似欠完整，略有無頭無尾之感。二十七目亦嫌太簡略。嚴格言之，宋、元兩編，前重後輕，成就亦有軒輊。

附帶稍論明、清《紀事本末》。《明史紀事本末》在清初由河北谷應泰撰成，比官修《明史》更早數十年。《明史》未出，則其資料來源當是各種私家《明史》或文獻雜記等，草創頗不容易。據說其書襲自張岱《石匱藏書》及談遷《國榷》，未可據信。參考取資則大有可能。張岱與人書曾說及谷氏爲作本末「廣收邸報，充棟汗牛」，可見谷氏準備工夫頗爲紮實。書分八十目，每條後有「谷應泰曰」一篇議論。「設立三衛」、「親征漠北」、「沿海倭亂」、「議復河套」諸目，記事詳盡，且多與《明史》出入，甚有價值。「礦稅之弊」、「東林黨議」、「宦侍誤國」諸目，直指大端，具見史識。但「建文遜國」一事全取野史傳說，即不可靠。大體而言，其書史實充貫，結構整密，乃用力之作。《清史紀事本末》爲民初黃鴻壽所作，約有四十萬言，亦分八十目，間附評論及注語。其書主要史料來源爲官方的《東華錄》及「諸家通行可信之書」，雖未用正史而規模已具。作者自稱偏重內政、外交記事，但涉外事務敘述往往帶有本位主義色彩，未盡確實；內政方面對於滿漢歧分及民變諸端亦嫌立場模糊，未見大義。唯一代事變脈絡明晰可尋，整理草創之功仍然不可抹煞。

政書

(一)通典

政書一體，以記敘典章制度爲內容。記敘典章制度，看來像是從某種特殊角度寫作的專史，但歷代典章制度極少劃地變改，只有些因革損益，因此研究典制應求其通，不主於專。此體中向來盛道《三通》、《九通》、《十通》，諸書以通爲名，都是著名的典制通史。此處只介紹《三通》。

《通典》，中唐陝西杜佑作。書凡二百卷，費時三十餘年以成。杜氏曾任淮南節度使，歷朝拜相，對於政治實務有認識，對於國家社會、生民利病有關懷；整理歷代典制以成此書，絕不只爲撮舉史料，自居史家，而是希望有益政治。所以其書自序曰：

> 所纂《通典》，實採群言，徵諸人事，將施有政。

清人杭世駿也稱其書曰：

> 經世之偉略，立國之大防。

這種以富國安人爲己任的居心，使他在作書時取材、編排、比較、評議處處用意，《通典》遂成爲一部充分表見中國傳統政治思想的偉著，而其原原本本、有體有用更令人驚歎。

《通典》所纂典制共分九門，首〈食貨〉，次〈選舉〉，次〈職官〉，次〈禮〉，次〈樂〉，次〈兵〉，次〈刑〉，次〈州郡〉，次〈邊防〉。這一順序，有何意義？杜佑〈自序〉說：

> 夫理道之先在乎行教化，教化之本在乎足衣食，〈洪範〉八政一曰食二曰貨。夫行教化在乎設職官，設職官在乎審官才，審官才在乎精選舉。制禮以端其俗，立樂以和其心，此先哲王致治之大方也；故職官設然後興禮樂焉，教化隳然後用刑罰焉。列州郡，俾分領焉；置邊防，遏戎狄焉。

其意謂政治的根本在教化，教化的根本卻在民生經濟，所以〈食貨〉宜先。設官分治當先求人才，人才之出則要興學校與精選拔，所以次〈選舉〉，然後才談〈職官〉。既言教化，以禮樂爲先，以兵刑爲輔，故次及〈禮〉、〈樂〉、〈兵〉、〈刑〉。政府行政，在內須有州郡之分治，在外須注意邊裔之阻防，故次及〈州郡〉而以〈邊防〉終焉。雖然典制史的前身是諸史之志書，但一般志書門目不精，那能如《通典》本末次第有條有理。拔食貨居先，擯天文、五行之類不錄，都突破了前史的障蔽。無怪清乾隆時重刻《通典》，要盛稱它具有「先養而後教，先禮而後刑，安內以馭外」的政治精義了。

九門之中，敍述制度沿革，大體都從遠古直通到中唐玄宗天寶末年左右，是名符其實的通史。每門下各分子目若干。除記下歷代制度外，更著重記下歷代人士對此等制度得失利害的論議。這包括許多當殿之奏議，以及各家文集筆記中所收的私下討論等等。實則這些都是研討的第一手資料。杜佑自己則在每門之前作有總敍，提挈綱要；各篇之後都有評論，痛陳所見。他對原始材料的掌握和分析，極具功力；凡所敍論，皆極精闢；而其書篇幅之大，架構之工，編纂方法之完善，史學見地之明達，也不讓前後二司馬專美於前。

說到《通典》的學術價值，於今言之，考察古代典制似乎是最明顯的用處；這也就是《四庫提要》所謂：「考唐以前之掌故者，茲編其淵海矣。」或者《舊唐書》〈杜佑傳〉所謂：「禮樂刑政之源，千載若指諸掌。」然而放寬來看，典制就是政治的骨法，典制的沿革，標識出時代的轉變，作風的轉變，民生的良窳，為政的寬猛；而歷代官員學士的種種評論，適足以指點出現實的利病，反映出更高更遠的理想；所以透過此等記載，不但可以研究政治史、經濟史、社會史，也可以研究中國傳統的政治經濟社會思想。唐人李翰為《通典》作序，曾說：

學者得而觀之，不出户，知天下；未從政，達人情；罕更事，知時變；為功易而速，治學精而要。

此已明白告訴我們，《通典》不止是一部歷史書，更是一部政治書，足以作為治國的參考。則其價值又豈在小呢？至於它在史學上的許多開創，如把正史志書的本末釐清，又加以擴大與貫通；如正式建立了典制史的新體裁；如充分體現了通史的體格與精神；如大量採用第一手的史料；比起其計慮天下的用心，都覺得較不足道了。史學的最終關切在人，杜佑談的是典制，卻沒有忘記這一點。

(二)通志

《通志》二百卷，南宋初福建鄭樵作。《宋史》〈藝文志〉及《四庫全書》將此書列在史部別史類而未列在政書類，因爲它的主體本是貫通古今的紀傳體通史；後人多目之爲政書，則主要就它中間的二十略五十二卷而言。鄭樵爲博辨自負之人，其書亦超奇自成一格；只從二十略的品目看來，便知他之不同流俗了。

二十略包括〈氏族略〉、〈六書略〉、〈七音略〉、〈天文略〉、〈地理略〉、〈都邑略〉、〈禮略〉、〈謚略〉、〈器服略〉、〈樂略〉、〈職官略〉、〈選舉略〉、〈刑法略〉、〈食貨略〉、〈藝文略〉、〈校讎略〉、〈圖譜略〉、〈金石略〉、〈災祥略〉、〈昆蟲草木略〉。與《通典》九門相比，這裡多出了許多新方面。鄭樵自己說：

> 總天下之大學術，條其綱目，名之曰略。百代之憲章，學者之能事，盡於

此矣。其五略，漢唐諸儒所得而聞；其十五略，漢唐諸儒所不得而聞也。姑且不論其自誇之當否，至少他的書是又突破了典章制度掌故資料的範圍，而意圖包括全部知識學問之總體；如果說《通典》是政治知識的參考書，則《通志》意在作為一切人文自然知識之參考書。二十略中，除〈職官〉、〈選舉〉、〈刑法〉、〈食貨〉四略仍是政治掌故外，〈禮略〉、〈樂略〉已有所更革：他把〈器服〉自〈禮〉中別出，以為器服也是社會文化的一項內容，可以獨立為一種學問；又把〈謚略〉別出，以為帝王謚號也算專門掌故；而〈樂略〉則重視民間樂府歌詩表見社會人心風氣，不屑廟堂雅製。另外〈天文〉、〈地理〉、〈都邑〉、〈災祥〉、〈昆蟲草木〉五略，則包舉各種天文、地理、生物知識；〈天文〉重圖象，〈地理〉重山川，大有見地；〈都邑略〉則探討歷代邦國建都問題，屬於人文地理，但與州郡觀點有殊；〈災祥略〉則摒棄五行觀念專記歷代災祥，較有歷史眼光，又不忽自然知識。至於〈藝文〉、〈校讎〉、〈圖譜〉、〈金石〉四略，則是舊史藝文經籍一志的拓展，前兩略探討書籍分類及著錄問題，著意於學術的源流；後兩略則從書籍資料擴及圖譜、金石資料，極有文獻觀念。更突出的是〈民族〉、〈六書〉、〈七音〉三略，前者由姓氏研究中國的宗族分布，是社會史的基礎要項；後兩者研究中國文字之六書成字及中國語言之七音成聲，是文化史的基礎要項。總而言之，此二十略在政治掌故外又加進了天文、地理、生物知識及社會、人文、學術知識，在典冊資料外又注意到聲歌的音符、圖譜的畫面、金石的實物，甚至田野的草蟲，眞可以說是極學者之能事而爲一切知識學問的總綱了。

〈通志〉二十略論發凡起例的確頗有獨見創獲，能在舊史志書及杜佑〈通典〉的基礎上建立起總體知識的規模來，可謂近古一奇作。所以清代章學誠及民國梁啓超對之都頗爲傾倒，稱曰「絕識曠論」，「別識心裁」，「自爲經緯，成一家言」，「豈可與纂輯之業同年而語」。然而鄭樵只是一窮處之老儒，不交人事，不切實務；他讀書雖博，思理卻未盡明通，辨證更難免疏誤。二十略綱領雖具，內容尚不夠充備，義趣也不夠通貫，看來略覺大而無當。《宋史》本傳云：

> 樵好為考證倫類之學，成書雖多，大抵博學而寡要。

這一評價倒也合乎事實。所以其書論史學資料性並不十分突出，論到一種學術文化史之統合觀則自有相當地位，這也就是章學誠所謂：「諸子之意，寓諸史裁，終爲不朽之業矣。」

(三)文獻通考

《文獻通考》，元初江西馬端臨作。書凡三百四十八卷，用力二十餘年，收錄資料極爲詳備，在《三通》中稱最。《通典》、《通志》之規模法度，對他都有相當的啓發。

《文獻通考》的「文獻」二字，兼包典籍與賢者而言。典籍包括經史、會要、百家傳記之類，再次賢者之言論有助論史者亦在所必錄；馬氏〈自序〉曰：

> 凡論事則先取當時臣僚之奏疏，及近代諸儒之評論，以至名流之燕談，稗官之記錄，凡一話一言可以訂典故之得失、證史傳之是非者，則採而錄之。

這正可強調其書一種考信文獻、尊重史料的精神，而此也是《通典》以來的良規，《通考》將之承襲且發揚了。

至於其書的門類，則分爲二十四。杜佑《食貨典》的內容，馬書分成八考：〈田賦考〉、〈錢幣考〉、〈戶口考〉、〈職役考〉、〈征榷考〉、〈市糴考〉、〈土貢考〉、〈國用考〉；〈選舉〉一典，派分〈選舉考〉、〈學校考〉；〈職官〉不變；〈禮典〉分三：〈郊社考〉、〈宗廟考〉、〈王禮考〉；〈樂〉、〈兵〉、〈刑〉不變；〈州郡典〉改爲〈輿地考〉，〈邊防典〉改爲〈四裔考〉；又增設五考，即〈經籍考〉、〈帝系考〉、〈封建考〉、〈象緯考〉、〈物異考〉，置於〈輿地〉、〈四裔〉之前。如此門目，比起杜佑可說分得更細，分類上也甚有斟酌，尤其尋索更爲容易；但在凸顯政治的大綱要節之意義上則似乎反欠簡嚴。〈食貨〉分八，極其精詳；〈禮典〉分三，刪繁存要；〈兵考〉更能歷考歷代兵制變遷，遠比《通典》〈兵典〉歷記歷代兵戎戰爭成敗策略要合乎體例得多。不過〈輿地考〉分敘古九州山川土宜，而放輕州郡人文地理，反與政治制度脫節；〈四裔考〉分敘四方各國而放輕所謂邊防，其病亦同。另外新增五考中的〈象緯〉、〈物異〉就是舊史中的天文、五行，雖屬史跡，實與制度無關，也非政治要項；〈經籍〉雖關學術發展，亦與制度無涉；學者可以有此等知識，典制史中實未必需要此等節目。當初杜佑《通典》不收此等，可說已經釐清了舊史資料的含糊之處，馬氏《通考》卻又含糊了。如說馬氏受到鄭樵的影響，鄭樵《通志》二十略實不是純粹的典制史，兩者不能並論。再者如〈帝系〉、〈封建〉，也可看出是由舊史中的諸侯王表之類變來，確係政治史跡，也有保留價值，然亦不盡關制度。所以說馬氏《通考》的史學資料性確是大大加強了，但在政治綱領的把握上卻遜於杜氏的《通典》。《四庫提要》亦說它：「稍遜《通典》之簡嚴，而詳贍實爲過之。」

《文獻通考》修於《通典》之後又五百年，論其價值，最可貴者自是它多提供了晚唐五代直迄南宋末年，共五百年的典制資料，以及其他若干文物資料。尤其其書出在《宋史》之前，援據議論原原本本，《宋史》非唯不能及，反多轉用之。後五百年的資料占全書篇幅一半以上，允爲其書的精華所在。馬端臨〈自序〉曾言司馬光《通鑑》「詳於理亂興衰，而略於典章經制」，其志欲與《通鑑》兩得並美；平心而論，已能做到。論者或說《通典》詳於典禮，較具經學精神；《通考》詳於記載，較具史學精神；大體兩書的義趣確有此差別。論者又或說《通考》等於類書，只有資料，全無別識，比《通志》不啻霄壤，則未免阿其所好而未能公平。《通考》分類詳細，編排明爽，敍事、論事、考按層層分劃，眉目清晰，便於查尋，則是它在實際應用上比《通典》更勝一籌的地方。

伍、子與子學

「子」本是對於有位者的尊稱。戰國時代，中國的思想學術界開始有了新氣象，除了傳統學術《詩》、《書》、《禮》、《樂》而外，新的觀念與思想開始萌生，新的學說與主張開始傳揚；這些學者、思想家，一般也尊稱爲「子」；於是「子」轉成爲有學、有德者的尊稱。中國學術系統中的子學，就是研究歷代思想家的一家之言的。

何以公、侯、伯、子、男的「子」字會被用來尊稱思想家呢？這中間的關鍵人物正是孔子。孔子曾仕魯爲大司寇，大國之卿例可稱子，相當於小國之君；而孔子又是諸子勃興的開端人物，他既稱子，後來的思想家也就相隨稱子了。清儒汪中有文論此，云：

> 古者孤卿大夫皆稱子，子者五等之爵也。《春秋傳》：列國之卿當小國之

君。稱子而不成詞則曰夫子，夫者，人所指名也。孔子為魯司寇，其門人稱之曰子、曰夫子，後人沿襲以為師長之通稱。

雖說這是弟子各尊其師的表現，但由此稱號也可顯示，思想家們自始就是以師長之姿出現，來爲國家社會解惑解紛的。

說起來，戰國子學的興起可以看成是學術的推陳出新。中國最早的典型學術原是文王、周公的經世致治之道，也就是群經中記述的那一套。那一套在西周眞能達成幾百年的治平，可見其高明，既是有效的治術，也是美盛的學術。但到了東周，它的效用一直減退；政治也亂了，王權也衰了，周天子的尊嚴甚至要靠春秋五霸來支撐。這是因爲時代在變，事態在變；相對的，經世致治之道似乎也應該要變了。從前的《詩》、《書》、《禮》、《樂》由聖王建置，現在的新思想學說則由士階層的大賢們提出。這些想法，有比較溫和的，也有比較激烈的；雖比舊思想都有突破，但大體仍多蓄育於舊學的根柢上。這是有意識的推陳出新。舊學掌於王官，故稱「王官學」；新學出於私家，故稱「百家言」。百家言的興趣所注，大體還脫不了「經世致治」的嚮往，可以看出它們與王官學一貫的精神。

戰國家言非常蓬勃興盛，號稱「百家爭鳴」。爲什麼諸子思想會一時並出呢？其間顯然另有一種機緣存在，就是封建的破壞，階級的消解，學術的下流，教育的普及；正如堤防潰決一般，時機一旦成熟，先前蘊蓄的能量便傾瀉而出。所以說先秦時代眞是中國思想史上光輝燦爛的一章。不過「百家」之詞稍嫌誇張，戰國前後二百五十年間，學者名字可考的約有六、七十人，學說可勉強推說的尙有一、二十人，自成家數不與人同的更少，說不上百家。若照先秦末期一些專門文獻的記載，當代比較突出的思想家如下：

《莊子》〈天下篇〉載：

墨翟、禽滑釐（附相里勤、苦獲等）（墨家）

宋鈃、尹文（墨家）

彭蒙、田駢、慎到（法家）

關尹、老聃（道家）

莊周（道家）

惠施（附桓團、公孫龍）（名家）

鄒魯之士搢紳先生（儒家）

《荀子》〈非十二子篇〉載：

它囂、魏牟（道家）

陳仲、史鰌（道家）

墨翟、宋鈃（墨家）

慎到、田駢（法家）

惠施、鄧析（名家）

子思、孟軻（儒家）

大體而言，此兩文所涉及的人物分別代表著特殊的思想方面，也可以說代表著所謂某家、某家，但當時顯然還沒有專用的家數名稱，所以未見舉出。若從他們的學說內容分析，當時足以自成一宗的思想，其實不外後來所謂儒、墨、道、法、名五家而已。再從稍晚的文獻來看，西漢中司馬談有〈論六家要旨〉，收《史記》中，他已能正式舉出各家的名稱，並在儒、墨、道、法、名五家之外又舉出了第六家，陰陽家。這說明了陰陽思想雖然晚出於戰國末世，卻也有它獨特的造至，不能含混歸併。到了東漢初，班固《漢書》〈藝文志〉則正式提出了「九流十家」的說法，除司馬談所說的六家，又添出了縱橫家、雜家、農家、小說家。諸子的家派至此成爲十家。後添的這幾家，雖收漢代著述，也多先秦之物。不過在先秦時它們本是不成局面的小道，沒有特別值得重視的地方，故爲司馬談所不道。所以諸子百家云云本是託大之詞，戰國新興思想學術，可觀者實止於儒、墨、道、法、名、陰陽六家。

六家之中，最先起的是儒家。儒家稱賞「周文」，但對於禮樂末流多文少質的傾向不滿，希望回歸禮樂的本意及本質。墨家隨後而起，則提倡兼愛，反對貴族；重視勞作，輕蔑禮樂。道家獨能超脫於儒墨是非之上，尋索自然之祕道，而貶低了人文的價值。名家則從名實的思辨中入迷，本欲打破世俗的錮見，結果流於詭辯。法家重視功利，壓抑一切意見的糾繞，企圖以法爲綱削繁適簡。陰陽家最晚起，以陰陽方術強化神道思想而宰治人事。儒家溫文，墨家樸直，道家超曠，名家苛細，法家專斷，陰陽家荒唐。如論他們的學說趨向，儒家、法家、陰陽家大體同主維護正統秩序，去弊布新，同屬右派；墨家、道家、名家大體同趨懷疑正統秩序，另造新局，同屬左派。如論他們的學說重點，戰國前期的儒徒墨者主要的爭議似乎是禮樂的意義，也就是周文的得失；中期的思想家們共同的關切似乎轉成了士階層的政治態度與內心修養，也就是自我的建立；後期的思想家們一致的願望則似乎是政令的一元，也就是有效的統治。至今孔、墨、孟、莊、老、荀、韓七大家之書俱存，可以作為我們研究先秦諸子思想的主要憑藉。

秦始皇焚書坑儒，向被視為學術的大厄。其實其主要對象本是各國史書及《詩》、《書》舊典，百家言尚非所重。秦相呂不韋邀集賓客共成《呂氏春秋》，有意折衷百家思想來立一王法、成一家言，便是秦代的一部子學名著。不過其書在《漢志》中即被列入雜家，並不能在思理上有所超越與開創，所以在當時亦未發生大影響。

入漢以後，經學復興，子學寖衰。惟儒家素以遊揚六藝為務，值此時會正可翩然秀出。事實上在武帝興學之前，陸賈、賈誼已能積極建言，冀能一改嬴秦的法律刑威而歸禮樂教化，可說是漢初的啓蒙思想家。董仲舒〈賢良對策〉，更正式把復古更化的理想具現。仲舒學《公羊春秋》，私淑騶衍陰陽家學，以陰陽五行論證綱常名教仁義道德，恢廓精辯，見稱大儒；但他無形中也給漢代思想添入許多不良的成分。揚雄曾有意糾矯，但眞正發揮了批判力量的則是王充。王充以自然無爲澄清那種天人糾纏的含混觀點，遂使學風漸漸轉變。

魏晉以還，由於政治不上軌道，思想亦無出路。大群理想無可展布，只有退縮到個人的精神世界裡來。道家言在此正合時宜，又接引了佛家思想東來中土。當時的才智之士，上焉者如王弼、郭象之輩，運用抽象思維探討本體論與形上學，超越老莊舊義，大有哲學價値，卻不免爲學術而學術，不切世道人心。是所謂「魏晉玄學」。中焉者浮沉仕途，自保門戶，率性放達，美其名曰「自然」，實則頹廢墮落。下焉者則歸心宗教，寄情方術，於是道教、佛教並盛，而儒業就衰。

隋唐繼踵，國勢復盛。但其政治氣象，大抵只是霸道。政教規模似乎依循儒軌，而並無眞實理念。北朝門第所孕育出的惟一大儒文中子王通，有意續《詩》《書》，仿六經，仰體周公治平禮樂的精神而因時制宜，卻無法獲得與唐諸公的垂顧，其他可知。整個社會風尚，仰慕盛世之浮華，俯倚佛、道之修持。可一道者，佛法入華經歷長時期的研求，到隋唐之世已如花爛瓜熟，中國僧人自創的天台、華嚴、禪宗，均能把印度佛學整理消化；禪宗六祖慧能更以一樵柴漢而頓悟妙法，不立文字，見性成佛，把佛學人文化、入世化，亦可說是中國化了。這不可不說是中世思想界的偉績。中唐又有韓愈者，以文學改革家的姿態出現，提倡古文運動，遂因文而明道；其〈原道〉、〈原性〉、〈師說〉、〈佛骨表〉諸文，見稱為「與孟軻、揚雄相表裏」（《新唐書》語），當可算是宋代儒學復興的一位先覺。

宋明時代，理學特起。理學家的共同嶄嚮，是要把幾百年來道、佛籠罩下的個人主義頹風挽回，重新認識生命的意義，追尋大我的圓成，回歸孔孟宗趣，走上人生的大道。無論其論證的方式是遠託宇宙本體，是近求心性工夫，這種思考進路都與儒學傳統頗不同，還須借徑於道、佛。北宋四子，周、張、二程，各有造就。到了南宋，婺源朱熹出，更集北宋理學的大成。朱子除了覃思義理，修養心性，還教人讀書學問，轉出「格物窮理」之途，遂定《論》、《孟》、《學》、

《庸》爲四書，自作《章句集注》，把理學新知和儒家舊解正式綰合一氣。同時金溪陸九淵，單提一心，即心即理，力求易簡，與朱子樹異。明儒王守仁承陸子一脈，提倡「致良知」，指點極爲親切，即從好好色、惡惡臭起步，知行合一，心物兼濟，以達學者終境，眞能把心學的異采發揮得淋漓盡致。惟理學家們到底多發揮在大學所謂格、致、誠、正的一段，而未能深入修、齊、治、平的一邊，所以他們在思想界的貢獻，主要還在提出許多心性修養的高論，爲儒學開了新生面，並徹底把佛學消融轉化了。

清代啣接六百年理學既衰之後，親歷國亡種淪之慘，窮而思變，學者頗思振作，博學經史，由虛返實。但在幾次文字獄的打擊下，凡與身世事功相關的學問都招忌諱，都不能講，唯有走歸訓詁考據一途。士人的聰明氣力，遂在狹窄的紙片功夫中消磨殆盡。雖有一二大賢，如王夫之、戴震之類，在思想上尚有造至，也都消沈沒有影響。

民國以還，思想學術界的新氣象厥爲西學的大量輸入。由於政治社會變動急劇，一切新學不能從容消化，反而激成一種盡滅故常的戾氣，至今仍不能得到寧定。將來思想的發展，應該是以效法宋明消化新學、效法先秦重新關切社會大群為方向，以期再創民族生命的新機。

如前所述，中國的思想家除了先秦諸子之外，尚應包括後世的儒學家、玄學家、佛學家、理學家在內。他們的著作，雖然未必以一家之言的專書形態出現，也未必見稱某子、某子，卻無妨其為具有思想特色的方家，在思想史上應有其一席之地。漢代的子學名著，除以道家思想為宗主的劉安之書稱《淮南子》外，其他都不稱子；如陸賈《新語》、賈誼《新書》、揚雄《法言》、王充《論衡》；董仲舒雖是漢代最重要的思想家，其書則名《春秋繁露》，顯是依附經術立言的。魏晉的子學名著，常以注解或哲學論文的形態出現，前者如王弼《老子》注、郭象《莊子》注、張湛《列子》注，後者如何晏的〈無名論〉、〈無為論〉、裴頠的〈崇有論〉之類。唐代的子學名著，只是一些佛經疏義講論，唯一例外的是六祖慧能口傳心法，謂之《壇經》，是禪宗的最要文字。另王通之書名《中說》，似頗有偽羼。韓愈的幾許大文如〈原道〉之類，則僅以普通散文的面貌收錄在其文集中。宋明以次的子學名著，往往只是極精要的短章或極親切的白話語錄，前者如周敦頤〈太極圖說〉、張載〈正蒙〉與〈西銘〉、程顥〈識仁篇〉與〈定性書〉之類，後者如《二程語錄》、《朱子語類》、《近思錄》、《傳習錄》之類。大體而言，唐宋以還，直至明清，集部大盛，子學著作漸漸變相寄存於文集；集多子少的表面現象，不可輕易以文學盛而思想衰作簡單的解釋。

吾國文化傳衍至久，中間產生的一些雜學，如兵學、農學、醫學、天文算法、五行術數乃至琴棋書畫藝術，雖不牽涉思想潮流，卻也算是專家之學，依據四部分類原則，也都歸屬於子部，所以子學的範圍獨大，內容獨多。不過論到子學的主流大體，當然還該在彼而不在此。倘把歷史上整個思想流變的歷程作一鳥瞰，可以發現，先秦歷漢以迄魏晉那一階段，思想史上的現象大致是：王官學與百家言爭勝，儒家一枝獨秀，再轉成儒家與道家相抗；魏晉以後歷唐迄宋明那一階段，思想史上的現象則是儒學與佛道相抗，先是儒消佛長，終至佛消儒長。前一階段思想家的主要關切似是王政大計，也就是如何形成理想政治；後一階段思想家的主要關切似是人生大道，也就是如何安頓社會人心。事實上，就中國傳統而言，子學的眞精神，當然脫不開指導人生，關懷大群生活，歸於人道主義；純粹思辯的哲學興味，探究物理的科學興味，敬拜上帝的宗教興味，從來不是中國思想家的興趣所在。這也相當程度地印證了中國文化深具人文本位特質的觀點。

倘與西洋思想家比較，中國思想家似乎不樂追尋客觀外在的所謂「眞理」，如科學眞理、宗教眞理，或由思辯法則所推得的哲學眞理；而寧可從人人內心眞實情感去把握現世生命與生活的道理，濬發其廣大共通面，盡其精微，極其高明，直達「天人合一」的理境，然後再落實爲庸德庸行，人人得而循之。所以中國思想不完全是理智的產物，而常是仁智兼盡的；不完全是理論，而常加進實行之功；不尙奇僻獨特，惟求普及人心。這樣的人文本位思考，兩三千年來不斷累積轉進，早已成爲中國文化的特殊績業，爲其他民族文化所不逮。當西方眞理不能救渡世界人類的時候，也許中國式的人生眞理可以爲世界人類點起一盞照路的明燈！

以下略說先秦諸子。

孔子

孔子名丘字仲尼，春秋末年生於魯國。魯國本是文雅之邦，文化空氣濃郁，孔子又崇仰周公，好學知禮，雖是沒落士族之後，卻早已卓爾成立。當時周天子尊嚴漸失，宗法封建日久而弛，各國諸侯蠢蠢不恭，周王朝賴以支柱的禮樂精神似乎也空洞變質；孔子以爲問題的根源還在「禮」的失調，如果眞能把握禮的內涵，端正禮的節度，煥發禮的作用，貫徹禮的精神，周公一手建立的政教大綱仍然可以維繫天下。於是他以平和的態度提出許多透宗的意見，激發了深刻的反省，也無形帶動了思考討論的風潮，成爲百家言的開先第一人。

所謂「禮」的失調，最大的問題是文多質少，漸漸流於虛文、繁文，不能扣緊內心的情意來作中節的表達，遂使禮的作用徒然落空。故孔子批評道：「禮云禮云，玉帛云乎哉？樂云樂云，鐘鼓云乎哉？」又曰：「禮，與其奢也寧儉；喪，與其易也寧戚。」奢華侈大又放輕了禮節裏面的倫理精神和愛敬情感，漸漸就會產生種種僭禮的行爲，比如「季氏八佾舞于庭」、「季氏旅于泰山」、「三家者以雍徹」。僭禮越分猶尚可忍，再進一步就是目無尊長，爭權奪位，「臣弑其君，子弑其父」，成爲「世衰道微」的局面，那就是政治社會的大厄了。追根究柢，「禮」的失調源於荒失了它的中心動能，也就是人心之中的朗朗之「仁」。於是孔子鼓吹人人回心轉念來認識自己本有之仁，先端整心情，自然可以端整行爲；人人如此，僭禮亂政之事終將消弭解決。「仁」的觀念之提出，是孔子對於吾國思想文化的最大貢獻；中國民族性裏最可貴的品質，世界人類心靈裏最美善的一點，在兩千五百年前已經由孔子抉發了。

什麼是「仁」呢？樊遲問仁，子曰：「愛人。」仁就是一點愛人之心。凡人都知道孝愛其親，敬愛其長，友愛其手足；把這愛人之心發揚起來，自然知道怎樣去待人應物，只拿這一顆心去衡量忖度便是。怎麼知道人心中都有愛呢？這並不要用什麼方法來驗證，只須檢視自己的內心、看看周遭的人物性行即得。所以孔子說：

> 仁遠乎哉？我欲仁，斯仁至矣。

有能一日用其力於仁矣乎？我未見力不足者。

仁既是人人所本有，自不會求不得。不過人性中也有軟弱貪求的一面，有時把持不住，也會隱蔽了仁，這時行爲就會偏差不當了，是故眞正的君子須得用力把持自己，要能日日「用其力於仁」，故又說：

君子無終食之間違仁，造次必於是，顚沛必於是。

可知求仁得仁仍要修養工夫。顏淵能「其心三月不違仁」，孔子即曾稱賞他。不違仁其實就是直心而行，盡心而爲，不怠不餒，因此孔子也教人「直」，教人「忠」，教人「克己」，不要半途而廢。內心中宜有此一片忠直愛人的心情，忳懇懇，表現在外面的行爲上也宜是誠誠敬敬，所以樊遲問仁，子曰：

居處恭，執事敬，與人忠。

仲弓問仁，子曰：

出門如見大賓，使民如承大祭，己所不欲，勿施於人。

這樣就接近了「禮」的體貌，脗合了「禮」的精神。禮是人群相處的軌度，大家的行爲都以禮爲準則，大家的心情都以仁爲依歸，那裏會有什麼悖亂非聖無法之事！子曰：

一日克己復禮，天下歸仁焉。

仁要迴向於禮。又曰：

人而不仁如禮何？人而不仁如樂何？

禮要歸宿於仁。仁是禮的本質，禮是仁的節文；一切非禮，可以用仁來衡定導正；禮的失調，要用仁來做藥石。正因孔子對於周公之「禮」有極深的研究與體會，他才能提出這一個「仁」字來統其宗會其元；而孔子之「仁」能夠深入人心秘奧，使人人有以自尊自立，開發了人類普遍的價值，指引了人類光明的大道，其在思想史上的地位又要勝過周公。

孔子對於禮，也並非一味死守，而實有融通開明的看法。當然禮要以仁爲內涵本質，但在禮的體度儀軌上，並非不能有所更張。禮貴隨時合宜，雖然大體因襲，也須不憚革易，或增或減，適當調停，此之謂「因革損益」。故孔子答子張問時曾說：

殷因於夏禮，所損益可知也；周因於殷禮，所損益可知也；其或繼周者，雖百世可知也。

此處所謂禮已不止是普通的儀文，而推廣到治國爲邦的軌法；他對於禮的歷史變遷深有認識，更對將來禮的改革方向深有把握，故能說出「百世可知」的壯語；在孔子心中，無禮不可行，禮的本質要發明，禮的內容要考詳，禮的蔽固要更革，禮的精神更要貫徹傳揚。他是周公之後又一位眞正的禮學大師。

說到禮的歷史變遷，又可以觸及到孔子學說的另一層意義，便是他相當尊重歷史經驗，古聖遺文。夏禮他能言之，殷禮他能言之，〈韶〉盡美盡善，〈武〉盡美未盡善，詩書禮樂，郁郁周文，他自己是「好古，敏以求之」，求能心知其意，溯本知源，亦有以識別後世的荒失；教弟子也希望他們讀書學文，庶能明理達材，並且有益心行。子貢曾說：「文武之道，未墜於地，在人，夫子焉不學，而亦何常師之有？」這是老師之勤學；子夏曾說：「博學而篤志，切問而近思，仁在其中矣。」這是弟子之切悟。所以孔子自己也說過：

君子博學於文，約之以禮，亦可以弗畔矣夫。

博文、約禮，要當相兼。正因孔子能「多學而識」，通知聖賢之成法，明白事理之當然，又能「一以貫之」，將之歸結出精要的心學，因此孔子學說可以說是聖賢的精華，傳統的結晶，避免了獨見偏弊，成為往後數千年中國思想的主流。

至於文武周公之道為什麼慢慢不能維繫政治的安定？孔子以為問題關鍵不在什麼政策法度小小出入，而在為政者的態度立場；為政者心不正，身不正，行不正，縱以先王禮樂粧點，對人民的感召力一定降低，對政事的處理也容易偏差；上行下效，積重難返。根本的解決之道，還在敦促為政者正心修德，所謂：

政者，正也。子帥以正，孰敢不正？

其身正，不令而行。其身不正，雖令不從。

他對於為政者正身而後能導民化善成治，有兩個非常貼切的形容：一云「君子之德風，小人之德草」，君子化人有如薰風拂草，無不低靡；一云「為政以德，譬如北辰」，北極星當空閃耀，衆星向之；政治領導人正當以此自勉。一應政治措施姑且不談，為政之道要不離「德」字「禮」字，故又云：

道之以政，齊之以刑，民免而無恥；道之以德，齊之以禮，有恥且格。

可以說孔子對於政治的主張仍然完全由其心學出發，又堅持禮學大統，充分體現了由內達外、溫故知新的一貫精神。

至於孔子思想的深層哲理，或說是其理境所至，雖然孔子極少說到，其實也可姑略測知。顏淵喟然慨嘆夫子「博我以文，約我以禮」，但追隨久之，仍覺得「仰之彌高，鑽之彌堅，瞻之在前，忽焉在後」；爲什麼？因爲孔子尚有「下學而上達」的階程，非弟子所能驟企，所以夫子也只好自嘆：「知我者其天乎！」下學者，博文約禮、入孝出弟等等屬之；上達者，則已上達天德，窺見了上天之道，上天之命，有以貼近宇宙最高眞理，有以體認人在宇宙中的地位與價值。子貢曾說：

> 夫子之文章，可得而聞也。夫子之言性與天道，不可得而聞也。

禮樂文章，政教綱領，是所謂「下學」，孔子所說已多；但這些議論的更高本原何在？何以知其當然？是所謂「上達」，孔子雖難言宣，固已深思有得。他曾說：「性相近也，習相遠也。」人性本相近似，人人能孝能弟，由此初心出發，便是仁，便有禮；天生人性的良善，是一大普遍原理，也是他學說的基本根據。將來孟子的性善論，即是本此發揮。至於天道，孔子只說：「天何言哉！四時行焉，百物生焉。」而四時行百物生總有一個原理在，這個原理，他以爲當與我們人生在世所當遵行的人道是同一個原理，而絕不會有異；所以他敢於說：「天生德於予」。這一種天人相合的信念，在經過道家宇宙觀的洗禮後，在〈中庸〉裡才始有了最透徹的發揮，所謂「天命之謂性，率性之謂道，修道之謂教」。天道、天命、人性與人道人文在此全部都會通合一了。這是中國哲學中最高的理境。孔子「知天命」，所知者即此；孔子「志於道」，所志者即此。孔子所深體默喻而難言者，經過後儒的發揮，精義盡展；誰說他不是中國思想界的最高導師！

墨子

墨子名翟，魯人，生當戰國初年，生年約在孔子卒後十年，卒年約在孟子生前十年。根據《墨子》書中〈貴義〉、〈公輸〉等篇的記載以及《孟子》、《莊子》、《淮南子》書中對他的形容，可知墨子出身寒微，但亦曾「學儒者之業，受孔子之術」，也曾一度仕宋爲大夫。他眼見貴族之驕奢，禮樂之煩擾，本於平民的立場，出於揚厲的性格，遂提出反貴族、反禮樂而追求平等勞作的主張來。這是吾國思想史上少見的平民主義，頗有新意，而難免偏激。其說既出，一時成爲顯學，但在後來孟、荀諸賢的批駁下默爾消沈。惟墨家「摩頂放踵」的苦行精神及「兼愛天下」的利他精神始終得到後人的敬佩。

墨子立說的主要嶄向是平等與實用，富有平民性。當時社會的弊病，想必給予他甚大的刺激，促使他堅決走上了革命性的道路。他反對一切浮華之禮，尤甚是王公大人厚葬久喪的積俗，以爲「輟民之事，靡民之財，不可勝計」，希望更制飲食之法、衣服之法、宮室之法、節用之法、節葬之法，總之「諸加費不加民利者，聖王弗爲」；於是而有〈節用〉、〈節葬〉之說。他反對王公大人聽樂靡財而廢事，若終日擊鳴鼓、彈琴瑟、吹竽笙、揚干戚，「民衣食之財將安可得乎」，「天下之亂將安可得而治歟」；於是而有〈非樂〉之說。他批評儒者「繁飾禮樂以淫人，久喪僞哀以謾親，立命緩貧而高浩居，倍本棄事而安怠傲」，尤其反對儒者執有命之說爲天下厚害；於是而有〈非儒〉、〈非命〉之說。他也反對當時攻伐之多，侵略之盛；於是而有〈非攻〉之說。他也反對王公大人所富所貴者皆其骨肉之親、無故富貴、面目美好者；於是而有〈尚賢〉之說。他的思路，似乎是開始於反對與摧陷，其中也充滿著對貴族的不滿，以及對實利的計較。通觀他的說法，孔子所稱美的文章禮樂，在他來說已無益且有害，幾乎沒有保留價值；孔子所領導的儒家，在他來說也已不足取而可以攻了。出於儒家的墨子，終於成了儒家的當面之敵。

儒家講「仁」，主張以仁正禮；墨子追求平等，所以不肯強調那孝其親、悌其兄的仁愛，而另提「兼愛」。因爲兼愛，所以王公大人剝奪民利以奉一己爲非是；因爲兼愛，所以侵略戰爭大殺無辜之人爲非是；因爲兼愛，所以國家用人尙親不尙賢爲非是。「兼愛」相對於「仁」，成爲墨家學說的內在柱石，或說是核心概念。什麼是「兼愛」呢？墨子以爲天下之亂皆起於人與人不相愛，不肯愛人利人，只知惡人賊人；但惡人賊人的後面並非沒有愛，而是只愛自己，所謂：

今諸侯獨知愛其國不愛人之國，是以不憚舉其國以攻人之國。今人獨知愛其身不愛人之身，是以不憚舉其身以賊人之身。

如此的愛只是一種分別之愛，全無好處，故當以「兼」易「別」。兼愛者，必能：

為人之身若為其身，為人之親若為其親。

只要一人如此，自可漸漸感召他人如此，因爲「愛人者人必從而愛之」，最終必能形成一個兼愛的世界。就功利觀點言，人人相愛不相害當然是最有利的，是以世人相愛也有功利的報償，值得去做，所謂「利人者人必從而利之」。總之墨子的結論是：

兼相愛，交相利，此聖王之法，天下之治道也。

他所提政治大理論雖是「尙賢」、「尙同」，但他深信「兼愛」仍然是理想政治的原動力量。

兼愛的理念雖高，以人類一種高貴的情操作爲一切事爲的基礎來追求人類的福祉，與儒家不殊，並富有人文精神；無奈「仁」是人性中所有，而「兼愛」則超乎人性之常。孝其親、悌其兄人人自然做得到，兼愛則非人人做得到。如果一定要求「爲人之親若爲其親」，不僅心量有節限，即能力亦有節限。墨子自己是以降低私情及降低生活水準來達到平等的目標的，但那樣的人生又豈是人人所願呢？孟子批評他說：

墨氏兼愛，是無父也。

這是從情意上說。如從實際上說，爲了堅持理念而勤力苦作，將來的美景尚望不見，眼前的福祉卻反而失落了。所以莊子說他：

其道大觳，其行難為，反天下之心，天下不堪。

只怕天下人撐不下去罷！墨子未嘗不知「兼愛」之說不合人心人性，因此他又提出「天志」作爲兼愛的依據，謂「天兼天下而愛之」，故人當法天志、順天意而兼愛。何以知天是兼愛天下的呢？他說：「以其兼而明之、兼而有之、兼而食焉。」當然天不覺有偏私，但人那裡能比天的博大？他又說：「天欲義惡不義，而兼之爲道也義正，別之爲道也力正。」兼愛才合義而爲天所欲，這恐怕也有點主觀。爲了懲勸世人，他甚至說：天下大亂正因「天下失義，諸侯力正」，只有尊明鬼神，使之「賞善而罰暴」。這就提出了「明鬼」之說。天志、明鬼的說法，其實不足以證成兼愛，反而流於神道設教，把清高的思想塗上宗教色彩，也降低了原有的人道人文精神。於是墨學終究衰落下去。不過兼愛的理念後來多被儒家吸收，形成了「大同」思想的重要內容，《禮記》〈禮運篇〉言：

大道之行也，天下為公。人不獨親其親，不獨子其子，使老有所終，壯有所用，幼有所長，鰥寡孤獨廢疾者皆有所養。

這樣的描述，不能不說要比儒家一向鼓吹的孝弟要來得更公溥遠大，頗有受墨子精神薰染的痕跡。

至於墨子最具前瞻性的政治主張，當屬「尙賢」與「尙同」。尙賢的意義是打破貴族政治的迷思，政治上用人一以賢能爲尙，不再以血統親恩爲慮。重用賢人，給予高爵厚祿及決斷之權，必使之感激竭誠，則政事可理，上利天，中利鬼，下利人，達到「天下和，庶民阜」的境地。這種理念在今日視爲平常，但在貴族政治長期壟斷的戰國初年提出，誠可說是墨子的遠見明識。後來戰國之世尊賢養士成風，白衣可以爲卿相，貴族階級漸漸沒落，未始不可視作墨家理想的實現。尙同的意義是統一異見異義，遵從賢主上的領導，以集中力量共謀公利。里之仁人爲里長而壹同里之義而里治，鄉之仁人爲鄉長而壹同鄉之義而鄉治，由是而國，而天下。這理念的基底是「尚賢」，而尚同之最終地步則同于「天志」。在戰國統治力量日漸鬆弛的亂世裡，如此想法不失爲致治之要端。後來的法家用專制極權來壓服異見異義，比諸墨家是貌是神非了。

墨子倡言「非攻」，但堅甲利兵往往難以片言卻之，於是墨子又研究守城之法以消極抵制攻戰。〈公輸篇〉記載公輸般爲楚造雲梯之械，將以攻宋；墨子自齊行十日十夜至於郢以勸阻之；見公輸般，解帶爲城，以牒爲械，「公輸般九設攻城之機變，子墨子九距之。公輸般之攻械盡，子墨子之守圉有餘」；終於詘公輸而止楚戰。《墨子》書中〈備城門〉等十一篇即是墨子的工械之學，可以依稀想見墨家的實用科技精神。

另外，後期墨家爲了支持「兼愛」之論，曾發展出了相當成熟的名學，頗與名家相通，在《墨子》書中〈經上〉、〈經下〉、〈經說上〉、〈經說下〉、〈大取〉、〈小取〉六篇中有集中的表現。「天志」說既不能證成兼愛，後期墨家便轉而用哲學即邏輯來辯證兼愛之可能與當然；其所建立的命題，無論討論時空問題、名數問題，不外欲達成「萬物一體」的結論，惟此可以爲兼愛的鐵據。

至於討論知識問題、行爲問題，亦重在說明知識不待經驗，行爲不依知識，以此肯定兼愛之可知與可行。這些看似紛雜的論證，中藏閎眇的思理，在先秦思想史上確有其獨特的造至，亦不無可觀之處。

孟子

孟子名軻，鄒人，生當戰國中期，比孔子後約百年，與莊子同時而稍早。當時遊仕風氣已盛，孟子亦曾來往齊、魏、魯、宋、滕國，頗受時君敬禮，但並未正式出仕。他對於士階層的壯大與異化深有所感，所以曾就士君子如何持身、如何事君、如何行道作了許多思考與討論，可以說是千古知識分子的典範與指標。在思想的大方向上，則盛推孔子，批判楊、墨爲異端邪說，提出性善之論、養氣之說以爲孔學張目，又可以說是儒門中的豪傑。他的書，義理精明，雄辯滔滔，讀之可以豁人心目，長人志氣。唐宋以後人慣以「孔孟」並稱，良有以也。

孔子好言仁，而少及性與天道。其實以仁心作爲一切行爲的基礎，原本應當先行論證「仁」的普遍性，也就是人人都有之、人人都能之，這才可以用作大群普遍的起點；這實際已轉上了人性論的方向。孟子在此堅定的提出「性善」的見解。他說：

人皆有不忍人之心。今人乍見孺子將入於井，皆有怵惕惻隱之心；非所以內交於孺子之父母也，非所以要譽於鄉黨朋友也，非惡其聲而然也。惻隱之心，仁之端也。

即從人人不忍見孺子墜井的怵惕惻隱之心上，可以見出人性的善良。實則人不止有惻隱之心，還有羞惡之心、辭讓之心、是非之心，也可以說已經具有仁、義、禮、智的原質。他又從孩提之童的天性表現上來論證，云：

人之所不學而能者，其良能也；所不慮而知者，其良知也。孩提之童，無不知愛其親者。及其長也，無不知敬其兄也。親親，仁也。敬長，義也。

孩提不假外學就知道愛親敬兄，這不是人性之善良的明驗嗎？把這親親敬長的心發揚起來，就是仁、就是義了。然則向善可以說是人性的大趨，故說：

人性之善也，猶水之就下也。人無有不善，水無有不下。

但是人類之中仍然可見不善的人，這又如何解釋呢？孟子以爲這是外在的「勢」所造成，正如把向下的水激揚起來也可使過顙、可使在山一樣；若論其內在的「情」與「才」，都是可以爲善的。人生努力端在把持天生的善性而成就善德，不要將本有的美質失落了。「苟得其養，無物不長；苟失其養，無物不消。」這就轉出了他的修養論來。

談修養，當然需要持久的努力，但還當找出正確的著力點。孟子既從「心」上證性善，自仍在「心」上用工夫。他說人的本心容易放失，正如雞犬放失一樣，是故：

> 學問之道無他，求其放心而已矣。

一切學問，重點只在找回放失的本心，修養的要道，只不要失其本心。人心中最可貴的原是那些可以導向聖善的高尙情操，那幾微易逝的善端尤須特別捉緊，所謂：

> 人之所以異於禽獸者幾希？庶民去之，君子存之。

而種種梏亡良心的物事則要加意避免，心中的仁義禁不起侵擾斲喪，正如牛山之木禁不起「旦旦而伐之」；最好能節制耳目鼻口的欲望，以免私欲阻隔了本心；所以說：

養心莫善於寡欲。

這是從消極面言。若從積極面言，則養心必須能思，能確保清明的知覺，才能由體察生出力量去行；所以說：

耳目之官不思而蔽於物，物交物則引之而已矣。心之官則思，思則得之，不思則不得也。此天之所與我者。先立乎其大者，則其小者弗能奪也。

由此才談得上「知言」與「養氣」。知言可以排斥邪說，明辨是非；集義可以養氣，漸積漸養以達於浩然；實行既久則智勇兼全，而養心之功始深。孟子曾自言他的修養經驗曰：

我四十不動心。我知言，我善養吾浩然之氣。其為氣也，至大至剛以直，養而無害，則塞于天地之間。其為氣也，配義與道，無是，餒也。是集義所生者，非義襲而取之也。行有不慊於心，則餒矣。

氣隨心志之堅明而充沛，心因正氣之充滿而專固，這一境界，孟子謂之「不動心」，約略可相當於孔子的「四十而不惑」。自此持續用功，獨行我志，最終可以見得天地古今人我都不外此道此義，換言之即在一心之中就可以通透了人性與天道，故曰：

> 盡其心者，知其性也。知其性，則知天矣。

這眞是人生修養的極則。孟子的性善論與修養論，徹底建立了人的尊嚴，難怪他要說「聖人與我同類者」，「人皆可以爲堯舜」；他對吾人的指點之切、鼓舞之亟，確實比孔子猶有過之。

孟子道性善，言修養，一方面發明孔學，一方面也即以之闢楊、墨。楊朱主「爲我」，墨翟主「兼愛」，其病根同爲不合人性之眞。人性中並非只有享樂自保的私欲，只知爲我，是將人性中高貴的部分丟棄了而只取那低級的；人性中本有親親敬長的美質，大言兼愛，只會沖淡了天生仁厚的本心；兩者都降低了人道的可能，所以孟子不惜斥之爲禽獸：

> 楊氏為我，是無君也；墨氏兼愛，是無父也；無父無君，是禽獸也。

孟子早說過「人之所以異於禽獸者幾希」，但又說「人皆可以爲堯舜」，人生努力只在存養擴充本有的善根，焉有傷損之的道理！「雖存乎人者豈無仁義之心哉？操則存，舍則亡。」楊朱舍其所本有，未免自暴自棄；「老吾老，以及人之老；幼吾幼，以及人之幼；推恩足以保四海，不推恩不足以保妻子。」墨翟不了解推擴的正道，只成其爲剛斷與不情。孟子在此是站在順性適志的正向上的，所以確能發揮批斥的力量。

至於孟子的政治思想，則因於時代的變遷，亦頗有異於孔子的地方。大體而言，孟子已經不甚措意於三代禮統，所謂「殷因於夏禮，周因於殷禮」的那套儀法文章，而改從民衆福祉的角度來要求統治者。統治者當須「行仁政」，須有愛民、保民的實際作爲，先使百姓脫離「樂歲終身苦，凶年不免於死亡」的困境，才能談得上其他。因此，民生經濟問題在孟子看來才是爲政之首務。他說明君當爲民制產，使有初步安足的生活，才能教以禮義共進王道：

明君制民之産，必使仰足以事父母，俯足以畜妻子，樂歲終身飽，凶年免於死亡；然後驅而之善，故民之從之也輕。五畝之宅，樹之以桑，五十者可以衣帛矣。雞豚狗彘之畜，無失其時，七十者可以食肉矣。百畝之田，

> 勿奪其時，八口之家可以無饑矣。謹庠序之教，申之以孝悌之義，頒白者不負戴於道路矣。老者衣帛食肉，黎民不饑不寒，然而不王者，未之有也。

這樣的理想主要精神其實也只在土地均分、不奪農時，並非太難做到，倘若再能夠「省刑罰、薄稅斂」使民蘇息，則民心向之，而可以無敵於天下：

> 王如施仁政於民，省刑罰，薄稅斂，深耕易耨，壯者以暇日修其孝弟忠信，可使制梃以撻秦楚之堅甲利兵矣。夫誰與王敵？

反過來說，若統治者不能治國利民，等於失職，爲臣下者，則未必不能罷黜他。孟子曾問齊宣王：王臣不能忠人之事，則爲之何？王曰：「棄之。」又問：士師不能治士，則如之何？王曰：「已之。」再問：四境之內不治，則如之何？王顧左右而言他。孟子的用意其實已甚明白。所以孟子也曾主張：

> 君有大過則諫，反覆之而不聽則易位。

易位即是更立賢者。湯放桀，武王伐紂，孟子也不以爲弒而贊同其弔民伐罪，曰：

賊仁者謂之賊，賊義者謂之殘，殘賊之人謂之一夫。聞誅一夫紂矣，未聞弒君也。

這樣的意見，無疑是相當進步的，尚非孔子所能道。也只有斷以民衆爲政治主體，才能擺落糾葛而有如此明通的政治立場。無怪孟子尚有一句名言曰：

民為貴，社稷次之，君為輕。

可以說，無論在倫理思想、政治思想等各方面，孟子都是一位具有眞知與大勇的豪傑。

莊子

莊子名周，蒙人。蒙地屬宋，宋人有「揠苗助長」、「守株待兔」的故事，莊子似乎也染有這一種騖於理想、超於現實的氣質。《史記》本傳云莊子曾在蒙做過漆園吏，與梁惠王、齊宣王同時；又云楚威王嘗欲聘之爲相而莊子卻之；未知是否可靠。他的思想相當奇崛，不與衆同，最特出的是他對自然的觀察和對天道的想像，因之他的文章也不落俗套，寓言迭出，洋溢無方；想要從他的書中探索其生平是勞而少功的。在中國思想史上，莊子是第一個將眼光從人生界轉向宇宙界的哲人；他用「道」來稱呼那個決定宇宙一切現象的力量，我們便把他這一派思想稱為「道家」。

孔孟曰仁義，墨翟言兼愛，從前思想家的意嚮似乎都是在追尋人生的意義，找出努力的方向，建立行為的基準。惟有莊子對此嗤之以鼻。在他想像中，宇宙萬物廣大自在，人生相對短暫渺小，談不上多少意義價值。而狹小人生中的區區物我是非的評斷，自更不值得遵信。就人而言，或許世上可有所謂正處、正味、正色；但就萬物而言，究竟何者為正呢？莊子這樣問：

民溼寢則腰疾偏死，鰌然乎哉？木處則惴慄恂懼，猨猴然乎哉？三者孰知正處？民食芻豢，麋鹿食薦，蝍且甘帶，鴟鴉耆鼠，四者孰知正味？毛嬙麗姬，人之所美也，魚見之深入，鳥見之高飛，麋鹿見之決驟，四者孰知天下之正色哉？

可見是非並不能有定準。其實一切是非之見往往起於知識，而宇宙間的知識無盡，誰能說自己擁有了眞確的知識？我們當自省：

庸詎知吾所謂知之非不知邪？庸詎知吾所謂不知之非知邪？

然則片面的知識也十分不可靠。莊子說「小知不及大知」，又說「有眞人然後有眞知」，眞正的大知是知道「人」外有「天」。知道天道之廣大，自然肯放下一切物我是非的偏見而自安其生了。

從前的哲人也尊天和道，但是莊子特別強調天道的造化之功。天地造化猶如大鑪大冶，生成了一切人和物。「道」也者，就是整個造化的主動力量，所謂：

萬物之所繫，而一化之所待。

這個道，「有情有信」但是「無爲無形」，不易把握而不能否定。這個道，決非神格的，而是自然的。由於道的作用，萬物自然生化。所謂「化」，當然不是僵止的而是變動不居的，這可以從四季遞禪、草木枯榮、萬物都有生死成毀看出來，所以〈秋水篇〉云：

道無終始，物有死生。物之生也，若驟若馳，無動而不變，無時而不移。何為乎？何不為乎？夫固將自化。

如是則整個宇宙只是一個大化，自有那永恒的道在推進著它；而「化則無常也」，這個化也只是自然的，並且沒有什麼規律可言。用這樣的眼光來看天和道，則人生豈不渺小？非但只能待化、順化，根本只是一無奈何的存在。種種人生努力，在莊子看來難免會「捐道」而「傷生」，還是「若化」（順化）而「乘物」爲好：

> 若化為物，以待其所不知之化已乎！

> 乘物以遊心，託不得已以養中，至矣。

甚至儒家所最看重的「心」，在道家看來卻是橫梗在人與天之間的「成心」，足以阻止人之歸向天；最好能把心的作用全部止息了，一任其悠遊，使心有如死灰不生火花，使心有如明鏡只應不藏，這才能夠通道合天：

> 形固可使如槁木，而心固可使如死灰乎？

> 至人之用心如鏡，不將不迎，應而不藏，故能勝物而不傷。

此所以莊子盛稱「心齋」也。其實所謂捨「心」以歸「氣」，雖不用心知，卻回歸明覺，虛己以待道，莊子也自有他的理論與工夫；只是這樣的理論教人放下可把握的準繩而一憑於眞知靈明，實在不是人人可以達到的，超絕的意境，對許多人而言，反而形成人生意義的失落。

因於莊子獨特的宇宙觀，他也次第提出了一套極有系統的人生觀。這在其書內篇七篇的題名與編制上就可以表現出來。首〈逍遙遊〉。人生在世，苦多樂少，惟有先求放大心胸，始能突破世俗拘囿而漫遊於廣大無礙的境地之中。次〈齊物論〉。天地間物至不齊，惟有去除主觀，照察到萬物一體的眞理，才能消弭種種美惡是非得失的分辨。次〈養生主〉。養生不在養形而在養神，惟有凡事依乎天理，才能盡其天年。次〈人間世〉。人既不可逃於天地之間，則人間自須善處，惟形就心和，藏智匿才，庶幾可以自全。次〈德充符〉。不求形骸俱全，只求道德充滿，則人格自然光輝。次〈大宗師〉。師法於道，自可同於大道，安於大化，藏於天下。次〈應帝王〉。治世以道，無爲任化，則可不求治而世自治。他確能看到人在偏狹的角度裡所感受到的痛苦與侷限，然而天道本來恢廓包容，是人在自限自苦，所以他希望人自己轉變思考，轉變心情，突破困境，從內心下手，不爲外物所影響，去追求精神境界的圓足。荀子嘗批評莊子「蔽於天而不知人」，不錯，莊子確是看重天道，相對便抑低了人道。他以爲爲宗師也只以此道，爲帝王也只以此道，這在教化上還可說得過去，在政治上便不免出現問題了。

莊子論政，主要著眼仍是以爲人君以一己之私決定的「經式義度」必然帶有狹隘偏私的成見，不足以爲天下的準則；理想的君主必須回歸大道、依順自然以爲政，沒有一點主觀在作用；故曰：

游心於淡，合氣於漠，順物自然而無容私焉，而天下治矣。

君主毫無主觀的作爲，這樣的「治」其實是不治，非但沒有宰治其民，實則等於任其自由了；所以〈在宥篇〉曰：

聞在宥天下，不聞治天下也。

然則是不是可以不要有君呢？莊子並沒有取消君位的想法，但在他意想中，理想的君確當是雖有如無的。這樣的君，也未必只是消極的存在；他的玄德，或許可以化萬民、成大功，只是百姓不知不覺：

明王之治，功蓋天下而似不自己，化貸萬物而民弗恃，有莫舉名使物自喜。

說來這種政治境界倒與儒家所謂「爲政以德」、「恭己正南面」頗有相通的地方。只是理想歸理想，現實的政治問題究竟千頭萬緒，不治之治沒有眞實的力量支撐，只怕會天下大亂。如此政治理論，只好算是一種玄思罷了。

莊子的思想，總體而觀實在是獨特而超越的，不能不說莊子似乎特別具有透視表象的大智慧。從前人以爲老子思想是他的先驅，其實老子談道，乃由他的基礎上再行深入；老子談人生與政治，也比他精密而實在。他的同時好友惠施，雖屬名家，卻從名實辨析上提出「萬物一體」的新論證，對他倒可能有相當的提點。他不像孔孟，想由人道來上測天道，卻是直接悟解了天道，反用天道來裁量人道；這使得他對人生界許多既定標準都提出質疑，似乎成爲一位價値的顚覆者。然而他提出來的許多新觀點，眞的可以幫助人們超脫於塵俗之外，看淡得失與成敗，減少競爭與營求，擴大精神的領域，提高人生的境界。儒家給人力行的勇氣，道家給人解脫的智慧。儒家教人進取，道家教人退處。兩家思想一緊一鬆，卻都能指導人生，安頓人心。道家思想雖然顯得消極些，在人生失意之時卻可發揮無爲的大用呢！

老子

老子姓李名耳字聃，楚國人。他的生存年代與姓字里居，始終引起後人的爭議。《禮記》〈曾子問篇〉曾載孔子問禮於老聃之事，《莊子》外篇的〈天道〉、〈天運〉、〈田子方〉、〈知北遊〉諸篇也屢有孔子見老聃的記載，所以《史記》本傳便將老子的年代斷於春秋後期、孔子以前。姑不論《莊》書多作寓言，未可全信；縱使眞有如此一位道家先賢，今本《老子》也不應是他的著作。因爲《老子》書的思想深沈，文體精練，與孔、墨、莊諸子相較只能在後不能在先；並且其書所述時局、所及事象也無形流露不少戰國色彩。也許今本《老子》是一位戰國學人所作，託名老聃。至於其人是否姓李名耳居楚已無可考，並且也不重要。我們仍只稱之曰老子即可。老子與莊子同是道家的代表人物，而《老子》書表現的思想，比《莊》書又有轉進。

先說老子對「道」的看法。莊子認爲道是萬物的成因、大化的動力，老子當然也予以肯認；事實上老子把「道」的義涵又作了很大的推展。他說：

有物混成，先天地生，寂兮寥兮，獨立而不改，周行而不殆，可以為天下母。吾不知其名，字之曰道。

這似乎把道說成一個無形但實存之體，在沒有萬物甚至沒有天地之前道已經獨自存在。這樣的道，似乎就不止是萬物遷化的無形力量，而成爲一切物的最初根源了。他又說：

道生一，一生二，二生三，三生萬物。

此處甚至明確設想了道生萬物由少而多的階程。在他的意想中，萬物不止由少而多，根本是由無而有，故又說：

天下萬物生於有，有生於無。

「無」就是宇宙初始的狀態，也就是大道瀰滿尙未落於形質的純粹狀態。可以說，老子是把莊子所說成物行化的「道」，再向純正形而上學的境地推進了一大步。但他比莊子更覺突飛猛進的新解，則在他宣稱已經掌握了道的活動規律，所謂：

> 反者道之動，弱者道之用。

「反」是反轉。老子以爲大道流行無所不至而最後必向原來的起點歸返，故言「大曰逝，逝曰遠，遠曰反」；這便是「歸根」，便是「復命」，是不可逆的趨勢和常道；吾人處世，不可不知這種趨勢與常道，故曰：

> 萬物並作，吾以觀其復。知常曰明，不知常，妄作凶。

必須知有此一「常」才能夠有以配合、有以運用。天下事物的現象看起來常像對立如兩極端般，如是非、如得失、如美惡；也有更分明的如長短、如高下、如前後、如有無。依莊子意，這些對立只是出於私我成見的一種誤判，並不眞確；依老子意，這些對立只是相反相形的暫時現象，根本不是絕對的；隨著大道之流行反覆，它終有一日會徹底倒轉。既然如此，則吾人自處正應處在所謂壞的一面而不宜處在好的一面，譬如柔弱、卑下、守雌、守辱等等：

> 守柔曰強。柔弱勝剛強。

> 貴以賤為本，高以下為基。

知其雄，守其雌，為天下谿。知其白，守其辱，為天下谷。

以此可以得強、得高、得雄、得白。這種自處之道，總歸來說就是不爭，不與人爭雄爭勝而最後得利：

夫唯不爭，故無尤。

夫唯不爭，故天下莫能與之爭。

看來老子從他的宇宙變化律中建立的人生律則表面上相當謙退，而實際上仍不脫功利打算；這與莊子順化乘物遊心安命的達觀確有相當差距。莊子知天之大而不知道之常，只能無可奈何而安之若素；老子自以為知道知常，便不肯無所趨避了。這是兩人立說分歧的主要切割點。

至於老子的政治論，他主張聖人法天法道，而天道自然無爲，所以人君也當自然無爲，不必妄作譸張；故曰：

人法地，地法天，天法道，道法自然。

道常無為而無不為。侯王若能守之，萬物將自化。

聖人欲不欲，學不學，以輔萬物之自然而不敢為。

但他理想中的聖人雖不敢肆意有爲，卻還是對民衆多所期求，並不同於莊子理想中的淡漠渾沌。他說：「民之難治，以其智之多。」因此希望減削民智，謂「絕聖棄智，民利百倍」，甚至說出這樣的話：

古之善為道者，非以明民，將以愚之。

他厭惡在上者多欲好貨敗壞社會風氣，呼籲「不貴難得之貨，使民不爲盜；不見可欲，使民心不亂」，因此主張「見素抱樸，少私寡欲」，希望民衆無欲單純，曰：

聖人之治，虛其心實其腹，弱其志強其骨，常使民無知無欲。

他對當時國家社會的騷亂紛擾更是十分反感，批評道：「天下多忌諱而民彌貧，朝多利器國家滋昏，人多伎巧奇物滋起，法令滋彰盜賊多有。」因此舖陳其理想中平靜簡易的國度，曰：

小國寡民，使有什伯之器而不用。使民重死而不遠徙。雖有舟輿，無所乘之；雖有甲兵，無所陳之。使民復結繩而用之。甘其食美其服，安其居樂其俗，鄰國相望，雞犬之聲相聞，民至老死不相往來。

諸如此類的議論，證明老子對政治確有興趣，確有意見，與莊子的無心任物甚見不同。雖然他深知自然無爲之道，不敢有任何實際作爲，僅曰：「我無爲而民自化，我好靜而民自正，我無事而民自富，我無欲而民自樸。」然而在其內心深處，卻仍想利用其所窺得的天道律則來暗轉形勢。天道物極必反，倘能善加體察，順勢應用，所謂「將欲歙之，必固張之；將欲弱之，必固強之」，則未必不能抑此揚彼，轉亂爲治。並且這樣的裁制仍出天然，不經人手，所謂「常有司殺者殺」、「夫代司殺者殺，是謂代大匠斲，希有不傷其手矣」，豈不妙哉？老子無心流露的這些話語，縱不說是帶有權謀意味，至少也是頗爲深刻精核的。正因爲老子深明反復之道，所以在政事的大項目上他全都有「以退爲進」的指導原則；經濟方面，他主張儉樸知足，方可長保，故曰：

知足者富。

多藏必厚亡。知足不辱，知止不殆，可以長久。

軍事方面，他主張不敢逞強，哀兵必勝，故曰：

吾不敢為主而為客，不敢進寸而退尺。抗兵相加，哀者勝矣。

外交方面，他主張以大容小，謙下以取，故曰：

大國者下流，天下之牝，天下之交也。大國以下小國則取小國，小國以下大國則取大國。

總歸來說，他的政治手段似正似奇，變化自如，不勞有爲而可成大功，正所謂：

以正治國，以奇用兵，以無事取天下。

若無「取天下」的興趣，老子又何必津津於此呢？可見老子貌似寬慈，其實心下自有計較。正因他的政治理論如此完整，乃有後來所謂的「黃老治術」。

老子思想中，雖有若干權謀功利色彩，實在也有他非常深邃的地方。他把莊子所設想的天道作了形而上學的推展，具有哲學意義；他在「有」之上正式提出了「無」，不但揭示了一個理論思考的新層面，並且在人事應用上亦有妙詣；他在由「道」生「物」的過程中指陳「象」之一階，物日化而象常然，所以觀象可以知道知物，故曰「執大象，天下往」，又曰「執古之道以御今之有」，遂把天道挽合於人事之中，宇宙不復是超然於人事之上的存在；他說「道生之，德畜之，物形之，勢成之」，把天地生養萬物作了非常深美的推想，並極稱許其「生而不有，爲而不恃，長而不宰」的玄德，在人事上也鼓勵「功成身退」的高行，爲人生開一勝境；他的沖虛待物的處世之道以及素樸儉嗇的生活觀，都對後世人生有深遠的影響。儒家論仁義，墨家論兼愛，名家辨名實，宋鈃論情欲，莊周論道化，他把各家思想一舉包羅，進退別擇，以極深刻的眼光與極邃密的思路將之融爲一體，通上徹下，無所不至，眞可當得《莊子·天下篇》所稱「古之博大眞人」的徽號而無愧了。

荀子

荀子名況，又稱孫卿，趙國人，生當戰國後期，或比老子同時而稍後。他曾長期游齊，參與稷下講學，三爲祭酒，最爲老師。其間亦嘗適楚，見賞於春申君，出爲蘭陵令。晚年則曾歷秦返趙，議政於秦昭王及趙孝成王之前。他是孟子之後儒門又一後勁，思辨周密，文理密察。漢儒經學子學，多受他的傳導影響。唐宋以還，孟荀醇疵之說大著，荀子因其「性惡」之說而飽受理學家批判。實則他的思想仍是儒家本位的，惟其中也有若干法、道、形名色彩。他根本的問題是爲人太偏於理智而略於道德情感，以致某些觀點難免專斷偏隘或有功利傾向，甚至連他弟子韓非、李斯也都成爲法家，這是他受人批評的主要關鍵。無論如何，他的修身勸學、禮義教化之論，仍然給後人以切到的鼓勵，仍然值得吾人之服膺。

孔子以「仁」正「禮」，既重內心之仁，又講外在禮文；孟子著重發揮孔子的心學，荀子則繼續發展孔子的禮學。孔子深美「周文」，但亦認知禮必有因革損益，遂又說：「其或繼周者，雖百世可知也。」荀子身處戰國末世，當時社會變遷劇烈，禮法亦遭逢激烈的挑戰而不得不變；然則如何把握變革的方向而跟上時代，又能如孔子所說，萬變不離其宗呢？荀子在此正居於一護守禮法的正統地位。他說：萬事萬物實際各有其「類」，類的後面又各具其「理」，只要把握住其類其理，則可以通明事物；所謂：「類不悖，雖久同理」，「以類度類，古今一也」。既如是，則只要掌握到禮義的統類，百王之制度都可以有統有紀而又應時合宜。他把隆禮義、知統類而應變無方的大任託之於聖王、大儒、君子：

> 王者之人，飭動以禮義，聽斷以類，明振毫末，舉措應變而不窮；夫是之謂有原，是王者之人也。

> 法後王，統禮義，一制度，以今持古，以一持萬；倚物怪變，所未嘗聞也，所未嘗見也，卒然起一方，則舉統類而應之，無所擬怎；是大儒者也。

> 以類行雜，以一行萬，君子者，禮義之始也。無君子，則天地不理，禮義無統。

換言之，只要政治上能夠得人，禮仍然可以修正應用而無礙。這實質上解決了儒家禮教過時而不切於用的質疑。不過荀子心目中的「禮」，意義已比孔孟所言更爲擴大。他似乎不止視禮爲人道之節文，更進一步將之看作整個人群集體生活的秩序規範。這從他對「禮」的起源的說法中就可以窺知端倪：〈禮論篇〉云：

> 禮起於何也？曰：人生而有欲，欲而不得則不能無求，求而無度量分界則不能不爭，爭則亂，亂則窮。先王惡其亂也，故制禮義以分之，以養人之欲、給人之求，使欲必不窮乎物，物必不屈於欲；兩者相持而長，是禮之

所起也。

他把「禮」說成是在外物與人欲兩者之間求取平衡時所產生的調節機制；這樣一來，修明禮義便含有解決社會問題的目的性了。所以孔子稱道「周文」，荀子卻變成主張「法後王」；他所謂的「度量分界」，也很容易轉成死法而接近法家。荀子雖亟稱禮義，其禮義的內容實際上多遷就現實，而不免違失了周孔以來的傳統精神。

荀子言「人生而有欲」，承認欲望之實有，希望靠禮義的調節教化來化解爭亂；這正顯示了荀子的另一個重要觀點：「性惡」。〈性惡篇〉曰：

> 人之性惡，其善者偽也。今人之性，生而有好利焉，生而有疾惡焉，生而有耳目之欲，有好聲色焉；從人之性，順人之情，必出於爭奪，合於犯分亂理而歸於暴。故必將有師法之化、禮義之道，然後出於辭讓，合於文理而歸於治。

他說人性好利疾惡多欲，順是則必走上爭亂之途，須以「師法之化、禮義之道」來救正；但禮義難道不是從人心中自然演出的嗎？他說禮義是聖人所創制，而聖人所以能此也只是一個「僞」，即「爲」，即用力矯正不良的性向而開陳正道：

> 聖人積思慮習僞，故以生禮義而起法度。然則法度者，是生於聖人之僞，非故生於人之性也。

故凡人正當效法聖人，努力化性而起僞，遵循聖人之禮義法度，以自附於正道。荀子此說固然也指出了人性的一面，即宋人亦說人除了「義理之性」外尚有「氣質之性」，但荀子幾乎不承認自然人性中有向善的可能，說什麼「從人之性、順人之情必出於爭奪」，則立說未免太偏，比不上孟子，雖不強調人人之性都純是善，但肯定人人之性都有善，以此勉勵人存善去惡，是更能夠給人努力的信心與方向的。

荀子對天道的看法，一方面受到道家的影響而極言天道之自然，一方面又力反道家天大道大的觀點而強調人爲的力量。從前的儒家多想像天道與人道相通，荀子卻說天道與人道兩分。所謂天道，自生自成，非人所及知；〈天論篇〉云：

> 列星隨旋，日月遞照，四時代御，陰陽大化，風雨博施，萬物各得其和以生，各得其養以成，不見其事而見其功，夫是之謂神。皆知其所以成，莫

> 知其無形，夫是之謂天。

這裡很有自然主義的意味。然他並不像莊子那樣貶抑人在天道之下的主觀能動性；爲什麼？因爲他與老子一樣，以爲「天行有常」，既有所謂常道，就有可以運用的餘地。既說隨旋、遞照、代御，正見其有常軌；倘若把握到這常軌，人未必不能用天制天；故又說：

> 大天而思之，孰與物畜而制之！從天而頌之，孰與制天命而用之！望時而待之，孰與應時而使之！因物而多之，孰與騁能而化之！故錯人而思天，則失萬物之情。

如此看法，當然也可以說是跨出了「人定勝天」的重要一步，然而此種形態的天人關係到底太過橫決，不如後來〈中庸〉所說人生至境是「贊天地之化育」爲更富有人文主義的勝義。

荀子的政治思想，內中固有不少儒家式的傳統思考，如隆禮尊賢、節用裕民之類，也有許多爲適應現實、解決問題而作的調整；這卻使得他的理論再一轉手即接上了法家。他極言禮義爲治理國家的繩墨規矩，「隆禮貴義者其國治，簡禮賤義者其國亂」；但是他亦承認法術刑罰亦有效用，可以兼守，故又說：「隆禮至法則國有常」，「治之經，禮與刑」。他雖推崇王道，乃至說出「行一不義，殺一無罪，而行天下，仁者不爲」的話；但他又認爲做不到「義立而王」時能先做到「信立而霸」也屬不惡；王者的條件已具則稱王，霸者的條件已具則稱霸，此之謂「具具而王，具具而霸」；故他屢次共稱王霸，說：「隆禮尊賢而王，重法愛民而霸」。他推崇先王的禮制高明，「古者先王審禮以方皇周浹於天下，動無不當也」；然而在知類應變的要求下，後王的制度無寧更符合當代的需要，所以他痛批思孟一派學者「略法先王而不知其統」之守舊，明白主張「法後王」，說：「欲觀聖王之跡，則於其粲然者矣，後王是也」。這些地方，都使得他的禮義之說加進現實權宜成分，無法堅持儒家的理想。更有甚者，荀子因認爲禮義生於聖王之僞，而後王又度時應變以修禮，故「王制」即可以作爲天下的最高標準，君王就是天下的最高權威，他稱之曰「隆」：

天子生則天下一隆，致順而治。

君者，國之隆也，隆一而治，二而亂。

全道德，致隆高，綦文理，一天下，天王之事也。

天下之大隆，是非之封界，分職名象之所起，王制是也。

這樣的想法，當然比較容易定是非、一天下，只是君權極端化的弊害卻是不可勝言的啊！荀學成爲秦政的淵源，其中自有痕跡可循。

縱觀荀子的思想，他一開始就走上了向外學習的理性思路，與孟子的反身內求大不同；所以他必須探討人何以知「道」的問題，提出他自己的心理學與認識論；又必須探討「道」何所在的問題，因有他自己的名學；連帶的，他對人性的看法也著落在負面一邊，以強調學習的必要；對天道的看法則將天客觀知識化，無論知之或不求知之，總不使其妨礙人事；解決政治問題也以明確可知的後王制度爲法。如此思路，給人的感覺是重外忽內、有理無情，雖然在理論上博大精整，卻嫌嚴正而不親切，所以它的感召力終是比不上孟子。

韓非子

韓非，韓之貴公子，生存時代已當戰國最末。秦勢日大，韓國削弱，韓非受學於荀卿，私淑於老子，又受到法家先賢申不害、商鞅的啓示，遂上書韓王言用法執勢富國強兵之術。王不能用，因以著書。秦始皇見其〈孤憤〉、〈五蠹〉兩文，大爲歎服，曰：「寡人得見此人，與之游，死不恨矣。」韓王遣非使秦，始皇悅之而未信用，李斯、姚賈等人又乘機進言毀謗，韓非遂在獄中自殺。他的思想，甚有貴族統治階層的偏狹性，只爲統治者設想；專用嚴誅重罰來解紛止亂，也有違人道而流於粗暴。縱然秦用李斯、韓非之術統一天下成大功，亦不足以提昇其學說的價值。

韓非專講君王統治控馭之道，臣民百姓在他看來都是役使對治的對象，怎樣使他們全部俯首從命呢？那當然要懂得他們的性向。在此，韓非把荀子的性惡論作了徹底的推演。他說人性莫不自利，君臣之間如此，「人臣之情非必能愛其君也，爲重利之故也」；夫妻之間亦如此，「夫妻者，非有骨肉之恩也，愛則親，不愛則疏」；甚至連父子之間亦如此，「父母之於子，猶用計算之心以相待也」；故人主最根本的手段就是利用百姓好利惡害、好賞惡罰、好生惡死的心性來善加操弄，使他們因利害而爲我奔走；這就是所謂「有使人不得不愛我之道」。他說：

> 凡治天下必因人情，人情有好惡，故賞罰可用。

「因人情」乍看好像是孟子的「所欲與之聚之，所惡勿施爾」，而其實只是性惡論下的威以脅之、利以誘之罷了。雖說「使人不得不愛我」，韓非也知道「制其好惡」才是令行禁止的關鍵，所以治民要靠威勢，不靠恩愛，故說：

> 愛多者則法不立，威寡者則下侵上。
>
> 不養恩愛之心，而增威嚴之勢。

他也看不起仁德，以爲仁德只能換取一時的佚樂，不如忍而行法，故說：

> 法之為道，前苦而長利；仁之為道，偷樂而後窮。

他甚至建議人主不可信任任何人，包括后妃、太子及諸臣，因爲一旦信任就可能使他們「乘之以成其私」：

人主之患在於信人，信人則制於人。以妻之近與子之親而猶不可信，則其餘無可信者矣。

在這種全面抹煞人性的光輝與人情的溫暖的思想基礎上架構起來的韓非學說，當然內容不外利與力的顛頏，法與術與勢的運用，充滿了心機算計，使人廢書三歎！

孟子尊王賤霸，荀子雖說「以德兼人者王，以力兼人者弱」，實則兼取霸道；韓非則毫不遮掩地鼓吹實力至上，有力者爲強，云：

上古競於道德，中世逐於智謀，當今爭於氣力。

力多則人朝，力寡則朝於人，故明君務力。

力量從那裡來？一面是獎勵耕戰促進實質富強，一面是加強指揮機制集中全國力量。韓非曾言：「死力者，民之所有也」，但要如何激發出這些死力呢？他又說：明君當能「使群臣盡其武，使智者盡其慮」，何以致之呢？在這裡就發展出了韓非集法家大成的極權一尊控馭機制。民性自利，人主第一要明定成文的「

法」使民知所進止，「法」則必附有賞罰的規定以資勸懲：〈守道篇〉云：

聖王之立法也，其賞足以勸善，其威足以勝暴，其備足以必完法。治世之臣，功多者位尊，力極者賞厚，情盡者名立，故民勸極力而樂盡情。

這種法律觀念貌似合理，實則「勸善」只是「勸極力」；並且他的法中只有君權，沒有民權，實際上是「雖拂於民，必立其治」；並且他的法中尚有許多苛細的規定、無理的成分，例如「設告相坐而責其實，連什伍而同其罪」之類；尤其他號稱爲殺一儆百、以刑去刑而流於重刑，更是弊病甚大：

重刑者非為罪人也，明主之法揆也。重罰者盜賊也，而悼懼者良民也，欲治者奚疑於重刑？

行刑，重其輕者。輕者不至，重者不來。此謂以刑去刑。

法家常常陷入殘酷殺戮之中，正由於此類藉口。第二，人主要有隱密變化的「術」來潛御臣下、監察臣下。〈難三〉：

人主之大物，非法則術也。法者，編著之圖籍，設之於官府，而布之於百姓者也。術者，藏之於胸中以偶衆端而潛御群臣者也。法莫如顯，而術不欲見。

韓非的性格對於形名參伍之術大概特別投契，所以其書中說「術」的地方特多。基本上他不相信臣能忠君，黽勉服勞只是爲勢爲利，稍有機會便會生奸，所以他設想出許多察奸、止奸之術；譬如〈主道篇〉說「人主有五壅」，〈八經篇〉說「亂之所生六」，〈八姦篇〉說「人臣之所道成奸者有八術」；爲防止之，君主須有深心密計，〈七術篇〉即曾提出衆端參觀、一聽責下、疑詔詭使、挾知而問、倒言反事等忌刻手腕。他想像中最高明的「術」是闇與「道」合的；〈主道〉：

道者，萬物之始、是非之紀也。是以明君守始以知萬物之源，治紀以知善敗之端。故虛靜以待令，令名自命也，令事自定也。虛則知實之情，靜則為動者正，有言者自為名，有事者自為形，形名參同，君乃無事焉，歸之其情。故曰：君無見其所欲，君無見其意，去好去惡，去舊去智。

這正是一種以靜待動、深藏不露的政治功略。此等處，頗可以看出韓非受老子影響的痕跡。第三，人主絕不能失去尊高獨擅的「勢」。老子曰：「魚不可脫於深淵」，韓非則云：勢是人主的深淵，臣是勢中的魚，勢是人主最深厚的憑藉。他又曾說：國是君的車，勢是君的馬，人主善任勢才能持國。所謂「勢」，其實就是高踞人上、指揮有餘的位勢與威勢：〈愛臣〉：

萬物莫如身之至貴也，位之至尊也，主威之重，主勢之隆也。

勢固有自然之勢，也另有人爲之勢：人主必當善用法術刑賞來加強自己的勢，並且絕不把勢假借予任何一人，這叫「國之利器不可以示人」，這才是勢的眞諦。他曾說有了「法」則庸吏便可治民，現在又說有了「勢」則庸主便可驕下：〈難一〉：

處勢而驕下者，庸主之所易也。

試想這樣的政治，那裏會是理想政治，又那裏會是人類生活的理想型態呢！

韓非思想之最可議處，除了反情感，端在反智識。雖說臣下治國不得不用智，但此等智也只限於爲主籌謀，所謂：

明君之道，使智者盡其慮，而君因以斷事；故君不窮於智。下君盡己之能，中君盡人之力，上君盡人之智。

實則因於法、術、勢的鉗制，任何賢能之臣亦不能有一點運用私心私智的餘地，故曰：

> 賢者之為人臣，北面委質，無有二心，順上之為，從主之法，虛心以待令而無是非也。故有口不以私言，有目不以私視，而上盡制之。

大體其對待人民的態度則是欲其無智無巧，只知爲使令而奔走，似取老子的意見而又更偏激：

> 聖人之道，去智與巧。智巧不去，難以為常。民人用之，其身多殃。主上用之，其國危亡。

如此態度推到極致則可能走上打倒一切書本知識及傳統教訓而光講法律的極端，如〈五蠹篇〉所言：

> 無書簡之文，以法為教；無先王之語，以吏為師。

秦始皇之焚書坑儒未始不是韓非的這種念頭有以致之。總而言之，韓非子的學說完全抹煞了人類的尊嚴與價值，只把人民當作富強的工具；一切善性善行，聖智美德，在他看來徒有「害功」、「亂法」之實而都被壓抑禁絕了；然則人生的意義何在?章太炎先生云:「今無慈惠廉愛,則民爲虎狼也;無文學,則士爲牛馬也。有虎狼之民,牛馬之士,國雖治,政雖理,其民不人。」這當是批評韓非思想最一針見血的話。

陸、集與文學

集就是文集、詩集之集，「集」字本是集結若干作品成爲一編的常用通稱。《說文》：「集，群鳥在木上也。」其字篆形畫三隹在木上，正是多數集結的意思。東漢以來中國漸有許多文學專家的出現，寫作許多詩、賦、頌、碑、誄、銘、贊、表、奏、書、論之類的作品，所以《後漢書》特設〈文苑傳〉收載其人其事；這些人的作品各自集結成編，供人賞讀，後來即稱爲某某之集，至是遂有了「集」的名稱。《隋書》〈經籍志〉云：

> 別集之名，蓋漢東京之所創也。屬文之士衆矣，然其志尚不同，風流殊別；後之君子欲觀其體勢，見其心靈，故別聚焉，名之為集。辭人景慕，並自記載，以成書部。

所以稱「別集」者，是爲表明這些都是個別作者個別的集，以與後來總收許多作者作品的「總集」相區分。雖然東漢後期似乎已有「集」的出現，但魏晉圖書分類法中仍只有甲、乙、丙、丁四部之稱，並沒有經、史、子、集四部之稱。倒是梁朝阮孝緒編目圖書，名爲《七錄》，其中已有「文集錄」的類名。直至唐人編《隋書》〈經籍志〉，才直標經、史、子、集四部，從此「集部」才正式成爲中國學術的四大門類之一。

集部所收作品雖然多是文學，但並非全屬文學。即如表奏、書記、碑誄之類，其實本是應用文字，並非純文學。另外集中亦常收錄作者的短篇論辨、雜說之類文字，論其性質，多近乎思想而遠於文學。某些短文甚至竟是簡潔的經史考據。所以「集部」的內容並不僅限於文學，有時反與經、史、子相關。同時經、史、子籍中的若干優美段落，常被後世文學專家選摘出來作爲學文範本，遂從古代典章的地位又轉換成文學名作的地位。譬如《古文觀止》中即收有取自《左傳》、《禮記》、《國語》、《國策》的文章數十篇，《經史百家雜鈔》中更收有取自《孟子》、《莊子》、《詩經》、《史記》、《漢書》、《通鑑》的篇章近百篇。要之，如從後世純文學的觀點看，集部所收的許多文章實際上都已溢出於文學範圍之外，或竟可以說是雜而不純了。而中國傳統所謂「文學」，其義原來亦比較寬廣，與後人的定義有所不同。

集部之中，最先有並最常見的自屬個別作家的「別集」，足以考見個人的寫作方向、體勢、風韻；然而另有一類「總集」，編輯方式較見用心，通常不是總收一代之作，便是精選衆作之英；不是專收某種形式之作，便是專收某種內容之作；總之，編輯之初便有特殊著眼，所以其書往往成爲特定時代、特定團體、特定風格的代表性全集或選集，具有更大的研究價值。這類書推其原始或可上溯晉代摯虞的《文章流別集》，但今日所見最早的一部則是梁代蕭統的《昭明文選》。《隋書》〈經籍志〉論總集之產生云：

> 總集者，以建安之後，辭賦轉繁，衆家之集，日以滋廣，晉代摯虞苦覽者之勞倦，於是採擿孔翠，芟剪繁蕪，自詩賦下，各為條貫，合而編之，謂為《流別》。是後文集總鈔作者繼軌焉。

倘若依此標準，吾人當可發現，《詩經》其實便是一部周代詩歌總集，《楚辭》便是一部戰國西漢楚賦總集。《詩經》已入經部，不再重入集部；《楚辭》則雖屬總集，畢竟作楚語、用楚聲、載楚物，自有特色，不與其他詩賦等作相同，因此自《隋志》起便不將之收入集部「總集」類，而另立一類「楚辭」類以收錄一切《楚辭》注釋之作。至此集部已有三類之分。《新唐書》〈藝文志〉則又在集部中分立一類「文史」類以收錄各種詩格、賦要、詩話、文評之作。清修《四庫全書》時，遂將集部定爲五類，除「楚辭」、「別集」、「總集」外，另立「詩文評」類以收錄文學批評著作，又立「詞曲」類以收錄各種詞選、詞話、詞韻、曲律、曲譜著作。集部分類至此更見精細。

談到中國傳統文學，無論文體、題材、技法、精神，都與近世西洋文學大異其趣。而此種獨特性，正是整個中國民族性與文化特性的眞實映現。茲分數點敘說如下。

一、中國文學之體類極全，但在文人心目之中，最重要的文體始終爲詩與單篇散文；文學史上卓然名家者，也幾乎全以寫作此兩體見長。西方文學常以長篇史詩、劇本、小說爲勝，而我國戲劇、小說之發展均遲，劇曲家與小說家的文學地位也不能與詩家及散文家相比。所以然者，正因爲中國文化特重人情，不喜追究事態的發展，而喜吟味情意的卷舒；不尚發表，意在自陳；而詩與散文比較上表情達意最爲直接眞切，故尤受作者與讀者的歡迎。

二、中國文學之寫作題材雖亦五花八門，但相對於西方之無奇不有，中國文人的主要關切似乎總是落在眞實人生之上。所以詩家文家著作千百，大體總不脫離個人人生中的眞情境、眞感受，甚少神話想像成分。即使描寫人生，亦多半只著眼於人生的普通面，如思鄉、羈旅、窮愁、感時、懷舊等情事，甚少專意刻劃個人人生的特殊事件細節。其實寫人生還是寫人情，那裡只是光寫一事一節。也因此中國文學中某些主題如傷春、悲秋、思鄉、懷人之類，眞可謂代代有作，人人有作；作者只寫己心，讀者只賞其味，古今同調，從來不嫌重複；不似西方文學，甚以重複爲嫌，寧可推陳出新。

三、中國文學既以抒寫人生情感爲主，則作品即可反映作者的人生，不僅可由之見出作者所處的時代興衰，也可見出作者個人生涯的起落離合；而作者處此情境中所蘊蓄發露的心情感受，更是其人人格與性格的直接表現。所以讀者觀其文可以知其人，觀其文可以知其時，文與人結合不可分，文與時代復結合不可分。不似西方文學，讀其劇本數十，小說數十，可以茫然不識作者爲何等樣人。正因文學成爲人品人格的表現，故眞正的大文學家多是志行高潔的賢人君子，輕薄無行的文人少能成爲文學史上的重要人物。而眞正的大文學家亦往往能展露時代的心聲，映現當代歷史現實與社會理想的綜合縮影，成爲一代的風標。

四、中國文學之寫作手法，貴含蓄而富有美感，不貴直白吐露、白描寫實；正如中國之繪畫，亦多用虛筆陪襯，流韻烘托，而甚少作素描寫眞。含蓄婉約的表現方式，最常見的就是比興。《詩經》已多比興，此下中國文人多善用比興。比擬隱喻，會意興寄，總多一層曲折，而不直接吐露。香草美人，虯龍雲霓，望文須能生意，始知其意深長。不止此也，中國作家表現情感，亦不主熱烈激昂，而寧取婉轉含藏，所謂「怨而不怒，哀而不傷」，整個文學風格大體頗爲優雅，極少流於俗野。

五、若論寫作手法之特殊，中國文學無論詩、詞、曲或其他駢、散文章，都常採用整齊的聯語對句，使作品富有形象美與音聲美，所謂「五色相宣，八音協暢」，非西方文學所可想像。這是因爲中國文字一字一位，一字一音，又多象形寫意的字體，又有平上去入的音調，非常宜於搭配成對，形成駢儷的特殊效果。詩詞中的名對如「明月松間照，清泉石上流」，「無邊落木蕭蕭下，不盡長江滾滾來」，「叢菊兩開他日淚，孤舟一繫故園心」等姑且不論，駢文中的名對如「漁舟唱晚，響窮彭蠡之濱；雁陣驚寒，聲斷衡陽之浦」，散文中的名對如「歸馬於華山之陽，放牛於桃林之野」等，都是易誦易記的佳句，易使讀者同感共鳴，提升文學的美感與感染力。

六、中國思想以儒、道兩家爲主流，中國文學精神亦不能脫去儒、道思想的籠罩。大體儒、道兩宗都有「天人合一」的理境，儒言「民吾同胞，物吾與也」，道言「天地與我並生，萬物與我爲一」；表現在文學上，若非具有儒家式的仁義胸懷與道德情味，便是具有道家式的自然旨趣與曠達情調。儒、道精神，影響於中國文學者至深且遠。

中國「文學」觀念之明晰雖推始於漢末魏晉之際，但中國文學史則不能忽先秦兩漢不講。西周以來的《詩經》三百篇已是成熟的文學，只因其在政治上的特殊應用，在祭祀、朝會、宴饗諸場合各有富有政治意味的用途，所以早入經部，不以文學視之，其實諸詩尤其是國風、小雅，情致深醇，文辭雋雅，已爲後世韻文開出無限法門。戰國屈原的《離騷》、《九章》則是南方楚文學的絕詣，無論格調之悲壯頓挫，詞情之奇美纏綿，都有特殊的造至，下爲漢世辭賦作者所學步。漢代散文，言辯爽朗，有諸子縱橫之意；辭賦則鋪陳瑰麗而意存諷諭，沈著條暢。晚漢以來，世運既變，文風亦轉。新起的五言詩怊悵切情，意激氣遒；其他如抒情小賦及應用書牘等作品，同樣漸多私人情懷，而漸少政治作用；文學獨立與文學不朽的觀念逐漸形成。魏晉以迄南朝，詩歌日益講究格律聲色，漸向唯美的方向前進；文章亦日益趨向整齊儷偶，駢文成爲主流。但論詩文的內容情志，則終嫌輕巧浮淫。雕藻之文既盛，批評之聲亦起。劉勰《文心雕龍》，鍾嶸《詩品》次第出世，揚搉利病，成爲吾國文學批評的開山之作。唐興，詩文都有復古求變的新風。李白詩云：「自從建安來，綺麗不足珍。」「大雅思文王，頌聲久崩淪。」韓愈爲文則務反近體，有意振作「經誥之指歸，遷雄之氣格」。李、杜之詩，韓、柳之文，多能心存君國，志切道義，尋回中國文學傳統的眞血脈。由於古、近、律、絕諸體並陳，唐詩興盛達於頂峰。古文運動破駢爲散的作風則影響直入宋、明。唐末五代又有詞體的產生，詞本稱「詩餘」，論其句法格局實是詩體的解散，與文體的解散事出一律。宋詞極盛，但是詞的體格究竟較爲纖弱，較少能成爲名篇雅製。美詞常在茶樓酒肆間傳唱，足證其遠雅而近俗。自此以下俗文學興起，大衆化的白話平話小說以及劇曲在宋末元明時代蓬勃產生，成爲中國文學史中的新葩。所以如此，當與政治環境的變動與社會文化的變動有密切關係。而正統文學如詩如文仍有統緒相承。大體而言，自明以來，言文學者好立門戶，漢、魏、唐、宋，各有所宗，頗有闔闢縱橫之致；而實際上則並未如漢、魏、唐、宋般自有一代傑出的成就，只成其爲沿襲與守成。公安主性靈，桐城標義法，在文學理論方面則尚有所見。民國以來，此等全被目爲「舊文學」，只供欣賞與研究，再無繼起之人；另有傳習西方的現代文學家們，獨佔了文學的壇坫。

現代人若欲了解中國文化精神，傳統文學其實是極好的媒材。因爲中國文字兼顧形義與聲音，語言與文字的關係特別微妙，是以千百年前的文學作品，至今讀之仍然明白易懂，沒有理解上的障礙。比如《詩經》中的「昔我往矣，楊柳依依；今我來思，雨雪霏霏」，豈費解釋？《楚辭》中的「滄浪之水清兮，可以濯我纓；滄浪之水濁兮，可以濯我足」，豈難理會？而千百年來沙汰之餘的優秀文學作品，其文學的情調與美感，要比子史群籍說理論事之作更容易牽動讀者的心弦，使人受到感召薰陶於不自覺之中。這些優秀的文學作品，無一不是作者人生與時代的反映，無一不是作者胸懷與心境的流露；而其事其情，其感慨其寄託，既是道德的，又是藝術的，正是中國文化精神經歷老成人的親身體驗與涵泳後所投射出來的精光異采；其純正馥郁處，並不比正經正典遜色；從此途徑來接觸中國文化，性情先已端正，感興先已活潑，而天理人倫，家國天下，一應思想信念，亦莫不可在種種情境事態中逐步體會，逐步學習。研讀中國文學名作，終將可以在從容優游中投入中國文化生命的大流，成為一個理想的中國人。至於各家風格的殊異，技巧的高下，那是專家研究的課題，一般讀者可以不必深入。

以下介紹數種重要總集。

文選

《文選》是現存最早的一部總集，精選梁以前歷代文學名作，在梁武帝時由武帝長子蕭統編成。蕭統英年早逝，諡曰昭明，故稱昭明太子，所編《文選》亦常被稱作《昭明文選》。書凡三十卷，唐李善爲之作注時分爲六十卷，後世通行六十卷本。

《文選》選錄的文章體類比較廣泛，可算是一種早期全面性廣收汎采式總集的典型。依它自己的分類，它收有賦、詩、騷、七、詔、册、令、教、策文、表、上書、啓、彈事、牋、奏記、書、移、檄、對問、設論、辭、序、頌、贊、符命、史論、史述贊、論、連珠、箴、銘、誄、哀、碑、墓志、行狀、弔文、祭文等三十八類作品。這些分類居今觀之實在不免過細，有些分類說來只是應用有殊故形式微異罷了，說不上是體式的不同。倒是詩、賦、雜文三大類作品兼容並蓄，是相當齊全可觀的。

甚實《文選》最可貴的地方不在它分類之精細或擇取之精審，而在它正式確立了文學性的選錄標準。經、子、史傳，各有成書，各有作意，不與文學同科，皆不截取；謀臣策士之言，即後來所稱「書說」之類，「旁出子史，事異篇章」，亦不取；只有某些單行的書序、史論之類，兼能符合文學性的標準的，始可入選。這一標準，用《文選》序的原文來說，就是「綜緝辭采，錯比文華，事出于沈思，義歸乎翰藻」。可以說，蕭統的編輯取向正是當代文學觀念明晰化的具體呈現。陸機〈文賦〉云：「思風發于胸臆，言泉流于脣齒。」思、言對舉，亦猶沈思、翰藻對舉。要之文學須有意致的經營與語言的經營，才能有深度、美感而富藝術性。這是很成熟的看法。齊、梁時代正是文風趨向華美的時代，《文選》頗重辭采、文華，也與當代主流觀念脗合。所選《楚辭》、漢賦及陸機、潘岳、謝靈運、顏延之的作品特多，正與它的選錄標準配合；而某些質樸少華的文家如司馬遷、陶淵明則相對較被冷落了。

《文選》選錄詩賦文章起自先秦，終于梁世，涵蓋的時代在八百年以上；總計收有一百三十位不同作者的七百多篇作品；其包羅並舉的企圖心可以想見。如此精心巨製，果然在中國文學史上發生了相當的影響：第一，唐代詩文並盛，文運飛昇，《文選》作爲八代名篇的總匯，自唐代起早已成文人的必讀書，「《文選》學」亦於焉成立，詞人衣被，學士鑽研，直到宋代尚有「《文選》爛，秀才半」之諺。第二，鍾嶸《詩品》、劉勰《文心雕龍》，品論歷代文學作品略備；《文選》則大量保存了鍾、劉所品名家之作，如《文心》〈詮賦〉所舉「辭賦之英傑」十家，《文選》選入九家；《詩品》所舉「五言之警策」二十二家，《文選》選入二十一家；可說在八代文學的研究上《文選》是最信美的資料。第三，《文選》相當程度地成爲中古以前文人地位的指標，凡《文選》選入的作家作品在中國文學史上皆被視爲不可忽略者，而《文選》未選的人與文則往往就此沈埋了。

唐人李善《文選注》徵引豐富，體例謹嚴，而微傷繁瑣。另有呂延濟、劉良、張銑、呂向、李周翰等五人合注本，稱「五臣注」；或與善注合刻而稱「六臣注」。五臣注頗有荒陋處，但《四庫提要》說它「疏通文意，間有可采」，亦是。蓋善注較精事典，而五臣常釋文理也。

全上古三代秦漢三國六朝文

此書簡稱《全文》，是一部從上古到隋代的文章總集，部帙浩大，搜輯極全，清嘉慶年間由浙江嚴可均獨力編成。書凡七百四十六卷，分作〈全上古三代文〉、〈全秦文〉、〈全漢文〉、〈全後漢文〉、〈全三國文〉、〈全晉文〉、〈全宋文〉、〈全齊文〉、〈全梁文〉、〈全陳文〉、〈全後魏文〉、〈全北齊文〉、〈全後周文〉、〈全隋文〉、〈先唐文〉等部分，凡五六百萬字。

嚴氏精通金石小學，長於輯佚。本書以輯佚功夫爲之，從類書、史傳、史注、《古文苑》、《文紀》、《漢魏六朝百三家集》及金石碑版中廣收材料，共爲三千五百家輯出個人作品，比起原來唐以前文集傳世不過三四十家的情況有極大突破。若干名家如西漢劉向、南齊孔稚珪等，作品經過大量補苴，其風格特色更爲彰顯，文學史上的地位也更爲明確。雖然書中也收錄許多無名人士的斷簡殘編，或繁或簡、或完或闕、或雅或俗，乍看頗覺雜蕪；但若能從文學史料保存的角度觀入，當能體認本書的巨大價値。清廷開館修《全唐文》，嚴氏未被聘請參與，卻發憤以二十七年光陰獨力修成《全文》，成爲《全唐文》的前編，亦可謂失之東隅收之桑榆了。

嚴氏對若干文學作品的眞僞歸屬也有考校之功。比如《漢魏六朝百三家集》中將〈曹蒼舒誄〉一文編入曹植之集，嚴可均則考定其爲曹丕之作，於是剔出曹植卷而列入魏文帝卷中；又諸本《曹子建集》均收有〈愁霖賦〉，嚴可均則考定其下半爲蔡邕〈霖雨賦〉闌入，於是割取下半列入蔡邕卷中。這種嚴謹的作風正是乾嘉學者所長。

清末楊守敬因在日本求得《文館詞林》、《文鏡秘府論》等中土佚書，另獲得不少失傳文章篇什，據此又爲《全文》補苴超過千條，《全文》的文獻價値又更提高。

玉臺新詠

《玉臺新詠》是一部別有特色的詩歌總集，由梁、陳間著名詩人山東徐陵編成。書凡十卷，收漢至梁代詩六百九十篇。雖然徐陵本人是宮體詩的重要作家，本書之序也說作書是爲「撰錄艷歌」，然而所收並不全是輕靡之作，甚至還保存了許多古代民歌、敍事詩，另外它在詩歌發展史上也有其一定地位，所以未可輕加貶斥。

《玉臺新詠》的「玉臺」二字，謂以玉爲臺，意指宮廷帝后之居；所謂「新詠」，則是符合內廷新風尚的詩歌，當然包括時人新製的許多宮體詩，也包含了以此新眼光選錄的昔人舊作。《郡齋讀書志》引唐人語曰：「昔徐陵在梁世，父子俱事東朝，特見優遇；時承平，好文雅，尙宮體，故采西漢以來詞人所著樂府艷詩，以備諷覽。」這大約說中了本書的作意。至於內廷之新風，說穿了就是以描摹婦女感情生活爲主題，即《隋書》〈經籍志〉所謂：「清辭巧制，止乎衽席之間；雕琢蔓藻，思極閨闈之內。」不過當時新作如梁簡文帝蕭綱的作品，入選逾一百首，多淫靡無骨；而昔人舊作則往往是質樸清貞的女性文學，如漢詩〈上山採蘼蕪〉、〈陌上桑〉、〈羽林郎〉、〈孔雀東南飛〉等等，頗爲可貴。由於《玉臺新詠》的提倡，這些從前被忽視的作品才得以傳世保存，在中國文學的苑囿中得到一席之地。另外，盛行於晉、宋以還，富有民間風格、寫情活潑清新的江南民歌小詩，情形亦復如此。《玉臺新詠》一編的價值由此可見一斑。

至於它在詩歌發展史上的位置，一方面宮體詩是繼詠懷、詠史、游仙、玄言、山水、田園、詠物諸作之後新興的題材，在南朝文學中自成一格，而《新詠》正是宮體詩的代表性選集；一方面它所提倡的樂府民歌清新自然的語言及句法對詩體的轉變醞釀亦自有影響，譬如五言二韻之作就是五絕的前身，《新詠》對此新體的成熟頗有貢獻。

《玉臺新詠》有清人吳兆宜所作的箋注十卷。吳箋的一大功績是把明人濫增羼入原書的一百七十九首詩根據宋本加以剔出，還其原貌。箋釋字詞方面則嫌引證過多，繁而不切，又往往引後事注前詩，不盡恰當。

樂府詩集

《樂府詩集》是一部專收上古至五代所有廣義的樂府詩的總集，北宋時由多才多藝的山東學者郭茂倩編成。自漢武帝立樂府整理雅樂、收集民歌俗曲，各種可以入樂的、來源不一、情調各異的詞曲日漸聚積，加上文士的擬作變改，民間的沿襲開新，經唐入宋已是極為龐雜；郭氏特從音樂的角度將之分類歸納，釐清本末，使涵義已經相當擴大的所謂「樂府詩」能夠溯源沿流匯於一編，實在是極具價值的巨作。書凡一百卷，除著錄諸作外，各類各調還有精博的解題考析。

一百卷中，依音樂來源與應用的不同分作十二大類，計〈郊廟歌辭〉十二卷，〈燕射歌辭〉三卷，以上是祭典及禮典用曲；〈鼓吹曲辭〉五卷，〈橫吹曲辭〉五卷，以上是軍樂之屬；〈相和歌辭〉十八卷，〈清商曲辭〉八卷，前者是漢代絲竹相和的典型舊曲，後者是南朝民間樂曲如吳聲、西曲；〈舞曲歌辭〉五卷，乃舞樂；〈琴曲歌辭〉四卷，乃以琴伴奏的曲、操、引；〈雜曲歌辭〉十八卷，收各種無法歸類的雜曲俗樂民歌；〈近代曲辭〉四卷，收隋唐五代的新曲；〈雜歌謠辭〉七卷，收歷代的民間歌、謠、諺、讖，本不入樂；〈新樂府辭〉十一卷，收唐以來即事命篇的歌行體新樂府，亦不入樂。其中〈相和歌辭〉和〈雜曲歌辭〉兩部分，保存了甚多古樂府及極富意趣的民歌，最有價值；〈鼓吹曲辭〉及〈橫吹曲辭〉中也有一些風格豪壯的北方民歌。

《樂府詩集》雖用音樂分類，但這些音樂不是久已失傳就是無從具現，是故郭氏費了極大功夫，依據許多史料文獻如《晉書》〈樂志〉、《唐書》〈樂志〉、《古今樂錄》等等，鉤玄索隱，將樂府詩的源流變化及音樂特徵盡可能地給予說明，使後世讀者仍能想像詩歌的聲情，對於它們的文學風格也能有相應的理解；這是極有意義的。

從文學史的研究上言，漢魏樂府詩歌剛健清新的藝術原質，對當代詩歌藝術的躍進及「建安風骨」的形成，確有一定的影響；唐代李、杜、元、白新樂府歌行的創作，波瀾壯闊，大氣奔騰，使唐詩的體格又獲提昇；《樂府詩集》的整編，很可以幫助讀者加強這樣的認識。

全漢三國晉南北朝詩

此書簡稱《全詩》，是一部從漢到隋的詩歌總集，編輯已當清末民初，編者是學者兼出版家江蘇丁福保。《全詩》的編輯宗旨與《全文》大同，也是有意作為清修《全唐詩》的前編的；書凡五十四卷，分〈全漢詩〉至〈全隋詩〉等十一集，共收七百多位作者的詩作近萬首，凡一百二十萬字。

丁氏作書，前有所承。明人馮惟訥所編《詩紀》搜羅甚全，然而不免眞僞錯雜，亦有牴牾舛漏之處；明、清之交馮舒因此作《詩紀匡謬》以匡正之；丁氏就在此兩人的基礎上進行清整的工作。《詩紀》在〈正集〉以外原有〈前集〉、〈外集〉、〈別集〉之纂，丁福保去此枝蔓以求單純，用意並不錯；但〈前集〉中所收許多古逸詩，他認爲頗多濫收箴銘頌贊等作，「非詩而妄以爲詩」，將之全部剔除，逕託始於漢世，遂使這部《全詩》的完整性大受影響。《詩紀匡謬》雖訂正不少錯誤，本身亦有誤解，丁福保未能洞察，反多沿襲；其他若干有待考訂之處，他也未能細作權衡。兩馮之書所未見的材料如清末得自日本的《文館詞林》中所收佚詩他已全部補入，但明人纂書不注明出處的陋習他仍一仍其舊，遂使其書的文獻價值減色。這一點比嚴可均〈全文〉遠爲不如。雖然如此，其書到底是後出轉精，比《詩紀》、《漢魏六朝百三家集》、《八代詩乘》諸書都有大幅推進，故流通亦頗廣。

近賢逯欽立先生在民國五十年代又曾針對丁氏《全詩》的疵病，重新嚴格搜剔爬梳考證，編成《先秦漢魏晉南北朝詩》一百三十五卷，深獲學界重視，似乎漸有取丁書而代之之勢。其書的優點，第一是取材廣博，單是引據之書已近三百種，超過《詩紀》甚多；第二是資料翔實，全部詩作即斷簡殘句都注明出處，可以覆按；第三是異文齊備，既見校訂之功，亦有參考價值；第四是考辨精審，有極多精當的判斷。當然個別的小疏失仍所不免，但丁書的疵病可以說已經大抵消除了。

全唐文

《全唐文》是有唐一代旁及五代十國的文章總集，卷帙極巨，計有一千卷，收文超過二萬篇，分屬三千位知名或不知名的作者，係在清嘉慶年間由清廷主導修成。領銜具名之人是董誥，其他參預其事的著名學者尚有阮元、孫星衍等。唐代中葉的古文運動是我國文學史上的重大變革，以一代的全集呈現出這個劇變前前後後的文章風貌與文壇盛況，確實具有相當的意義。

其實此書也是前有所承的。據嘉慶皇帝自陳，內府原有「繕本唐文一百六十册」，不如人意，因敕重編。這一本子收文已達一萬幾千篇，由康熙時進士陳邦彥編集，應該可以算是今本《全唐文》的前身了。受命諸臣愼重其事，全面考察了《古文苑》、《文苑英華》、《唐文粹》所收唐文，又旁采《永樂大典》、《四庫全書》、天下府廳州縣志、《釋藏》、《道藏》及金石碑版文字資料，歷時六年纂成此書，較陳書以習見常行之書爲資料來源又豐富了不少。不過《全唐文》受限於皇帝的意向，不收有礙風化之作，因此刪落不少出色的傳奇小說，不無微憾。由於蒐輯仍有盲點，清末陸心源曾以個人之力編成《唐文拾遺》與《續拾》凡八十八卷，增補了數百作者的長短文章二千篇以上，對唐文的完整性又有裨益。

《全唐文》編次首帝王、后妃、宗室、公主之作，一般作者則大略依照時代先後順序排列。無論初唐四傑的駢文，盛唐古文運動前驅者李華、蕭穎士、柳冕、獨孤及的文學理論與實驗之作，盛唐大家韓愈、柳宗元、張籍、劉禹錫、白居易的古文時體，晚唐名士皮日休、陸龜蒙、羅隱的諷刺小品，李商隱的駢文，一編在手都能畢現無遺，對於掌握一代的文風，專家的特色，都有顯著的功能。唐人別集雖有一百餘種，總集仍有其獨特無可替代的價值。

清人陳鴻墀曾參預《全唐文》的纂修，遂采錄相關資料輯成《全唐文紀事》一百六十二卷。是書不但考據作者爲文之本末宗旨，也摭拾了不少後人評騭優劣之語，對唐代文學研究有一定貢獻。

全唐詩

《全唐詩》的編纂早在清康熙年間，大約是清廷稽古右文政策的第一先聲。書凡九百卷，收唐代下及五代十國的詩家詩作極備，總計采詩二千二百餘家四萬八千餘首，又有作者小傳及校文等，共有七百萬字。領銜編務的是當時的江寧織造曹寅，實際分工的則有江蘇狀元彭定求等十人。其書編成極速，費時不到兩年，或者與其根據的底本相當完密有關。這兩個底本，一是明人胡震亨的《唐音統籤》，搜羅務盡，卷帙上千；一是清人季振宜所編《唐詩》，累積了吳琯與錢謙益的整編成果，輯校精工；兩家的勞績當與《全唐詩》同傳。

《全唐詩》搜集雖全，考訂雖善，在編輯方式上卻多所周折，頗不科學。第三十卷至第七百八十七卷略依時代先後列詩家詩作，是本書的主體；但所謂「樂府詩」至唐或未必入樂，卻另按鼓吹曲、橫吹曲等曲調之分總纂在前，結果許多名家歌行反而側身其間而不入本人卷中；另外聯句、殘句、名媛僧道詩、諧謔歌謠酒令以及詞等類別也都另立在後，使許多寫作形式變化較多的作家之作品被分散割裂。其實《唐音統籤》原來以初、盛、中、晚四期來區分作家作品，便是一個適當的分法，只因康熙皇帝反對歧分疆陌似有抑揚軒輊，受命諸臣另出新意，反而釀生不少枝蔓。

唐代是我國詩歌發展史上的黃金時代，作家、作品衆多，形式、內容俱臻美盛，藝術成就震古爍今；編纂一部《全唐詩》留下周詳的記錄，應該是清帝正確的決策。雖然《全唐詩》的編輯方式有些不理想處，資料也仍有漏略，考訂也仍有失誤，但大體而言它仍是一部研究唐詩與唐代文學不可或缺的參考書，誠如《四庫總目提要》所說：「詩莫盛于唐，唐詩之正變源流，莫備于此集。誠風雅之淵藪，而吟咏之津塗矣。」

民國以來，補《全唐詩》者多家。中華書局於一九八二年出版《全唐詩外編》，收敦煌學專家王重民據敦煌遺文所補唐詩近一百首，又詩集殘卷二種共七十二首；另收南京師大教授孫望所補近八百首，安徽大學教授童養年所補逾一千首；總計新得唐詩已在二千首左右，頗有價值。

唐詩三百首

《唐詩三百首》是唐詩總集中一個最著名的選本，篇幅甚小，編者蘅塘退士名孫洙，江蘇無錫人，也只是清乾隆時一介小官，卻因所選都是膾炙人口的名作，出世立即風行，成了家弦戶誦的詩集，蒙童必備，白首不廢，對唐詩的推廣普及有不磨之功。

《全唐詩》所錄唐詩近五萬首，此書只取三百首，孫氏原序說：「諺云：熟讀唐詩三百首，不會吟詩也會吟。請以是編驗之。」可知這近乎是能夠大略理解唐詩體式、風格的一個起碼之數。當然時諺的背後或許也有取合《詩經》三百篇的意思。書分八卷，所收包括五古、七古、五律、七律、五絕、七絕各體各數十首，除五律詩外，各卷後面還都附收若干樂府。這一選法，比另一童蒙課本南宋謝枋得所選《千家詩》只有律、絕，沒有古風、樂府，又且唐、宋夾雜，顯然要完善不少。選入作者凡七十七人，有皇帝、僧人、歌女各色人等，而仍以杜甫、王維、李白、李商隱之詩入選最多，既能照顧全面，也能突出專家。至於選詩的標準，除了膾炙人口，還要平易近人。由於多少受到沈德潛論詩崇尚「曲道人情」、「氣味渾成」的影響，孫氏所選的詩，常能在平易中見深刻委婉敦厚，並非淺露之比。整體而言，此書的編纂是相當平穩精切的，沒有詩學專家的偏見，反而顯得明淨可喜。

不過此書也並非全無缺點。體例方面，把樂府詩大略依照句式及字數的不同勉強分派在古風、律、絕各體後面，無論從源流上或體製上都不甚合宜，不如另立一類以收容之；題材方面，若干帶有政治社會批判意味的名作的杜甫的「三吏」「三別」、白居易的「新樂府」都未選入，似乎仍有某種程度的侷限性。

《唐詩三百首》原附少許簡單的評注，有的對讀者頗有啓發，有的則略嫌帶有評點家迂曲習氣。道光時，金陵才女陳婉俊曾爲此書作了《補注》，大體只詮事實，不事賞析，把重要典故和作者生平都已注出，見稱「簡而周，切而明」。民國以來，又有《注疏》、《評注》、《詳析》、《新注》等注本多種。

全宋詞

《全宋詞》是一部宋詞總集，意在求全，與《草堂》、《花庵》等選集不同，又比清代官修《歷代詩餘》擴充近倍，民國三十年代由近賢唐圭璋先生勉力編成，五十年代又重加修編，計收兩宋詞人一千三百餘家的詞作約二萬首，並附若干目錄、索引以利研究，當可視爲此一領域的代表性典籍。

《全宋詞》的編輯體例，比較嚴謹而科學。既不分卷，也不分類，一依作者的時代先後序列。各家的詞，則精選舊刻詞集爲底本，再用其他刻本核對補充於後，另據宋人文集、宋人詞選及宋人筆記所錄詞再作補充，並旁采方志金石、書畫題跋、花木譜錄及應酬文翰等零碎資料附益；這些資料略依原書版行的時代先後序列，並悉準原名原式原序不作更動。如此作法，可使各家詞集的主體突出，所有資料的先後輕重明顯可辨，對研究者有其便利。原刻文字如有脫訛，則據其他善本校訂，並以小字注於其下。一詞分署兩家者，繫此則注明又見於彼，繫彼則存目於此家詞集之末以備查考，並不逕行剔除。凡此都可看出唐氏編輯態度的謹密。

唐氏以前，清末民初的校刻名家如王鵬運、江標、吳昌綬、朱祖謀、趙萬里諸人，已經陸續校輯宋人詞集達二三百種，無論輯佚補苴或校訂訛誤都有相當的成績；更早明代書商毛晉所刻的《宋六十名家詞》刊印水準雖不甚佳，收集卻多，流傳亦廣；《全宋詞》所採用底本不少即出自上述諸家之手。唐氏以後，亦有另輯詞作以補唐書者。中華書局近年出版孔凡禮《全宋詞輯補》一小册，僅從明初抄本《詩淵》一書中就輯出了宋詞近六百首，其中已見於《全宋詞》的不到二百首。隨著圖書資料的次第出現，《全宋詞》當可如《全唐詩》一般繼續補苴至更加完美的地步。

古文觀止

《古文觀止》與《唐詩三百首》類似，也是一部篇幅甚小的歷代文章選集，並由不知名人士編選，卻能成爲清初至今數百年來流傳最廣、影響最大的文選。這與它的擇取精湛、訓說簡要當有絕對關係，並非偶然。編者吳楚材、吳調侯叔侄，浙江山陰人，仕宦不達，而學問頗佳。書編於康熙年間，收文二百二十二篇，上起戰國，下迄明代，分十二卷。書名「觀止」，取《左傳》吳季札在魯觀樂嘆爲觀止的典故。

《古文觀止》選文頗具隻眼，並不排除經史舊籍，反而從《左傳》、《國語》、《國策》、《禮記》中選了數十篇名作，作爲全書的起始部分，甚有定見；漢代選了賈誼、鄒陽、司馬遷，六朝選了李密、王羲之、陶淵明，唐宋選了八大家，明代選了茅坤、唐順之、歸有光，都可以說是擇取精湛；甚至二吳也沒有古文家的偏見，極斥駢文，反而收采了一些佳妙的駢文名篇，如孔稚珪〈北山移文〉、駱賓王〈討武曌檄〉、王勃〈滕王閣序〉等。諸文大抵比較簡短明快，便於熟讀記誦。然而在體裁上、風格上，又都有各自的代表性。另外文家文篇一依時代先後順列，也打破了舊式的文選分體編列的拘泥。凡此種種，都是其書的優點。二吳另作了諸文的評注，注雖簡略，評點分析卻扼要而可取。

如若以現代的眼光挑剔其書的缺點，則嚴格說來，它還不能概括我國古代文章的全貌。第一是所選辭賦極少，雖選了宋人的〈秋聲賦〉、〈赤壁賦〉，卻幾乎完全放棄了漢魏名篇如〈登樓賦〉等，只選了屈原〈卜居〉一篇略作點綴。第二是宋元一段略覺疏漏，宋文主要選了歐、蘇大家，北宋范仲淹、司馬光等還有一二篇入選，南宋以及金、元人之作則一篇也無。第三是未收有清一代文章，雖然作者生於清初，欲收無從，但在今日看來卻是一個遺憾。近賢有將此書另作《新編》者，減去許多左傳、國策之文，添上不少宋、元、明、清之作，顯然也有精益求精的願望。

古文辭類纂

《古文辭類纂》是一部嚴格按照清代桐城派古文家標準選錄的歷代文章選集，上起先秦兩漢，中取唐宋八家，下及明之歸有光與清之方苞、劉大櫆等人所作，共選散文及少許韻文達七八百篇，依文體分作十三類，纂爲七十五卷。編者姚鼐，安徽桐城人，爲乾嘉時代的學者，劉大櫆的學生。桐城派文學理論在他手中完成，一代新風亦臻於極盛。由於《類纂》義例謹嚴，解析精到，頗利學文者揣摩，所以問世以來始終傳習不輟，算是一個傑出的選集。

《古文辭類纂》的文體分類經過仔細探究與歸併，總共只有論辨、序跋、奏議、書說、贈序、詔令、傳狀、碑志、雜記、箴銘、頌贊、辭賦、哀祭十三類，比起以往的總集動輒分作三、五十類確實簡化不少。十三類每類都有小序，說明各體的由來變化，出入分合。各體文章則嚴格篩選桐城派「文統」說所許可的正統作家之代表作，甚少逾越；除了「辭賦」類外，魏晉南北朝及南宋、元、明文家幾乎一個不錄。所選文章都附有不少解析評語，除了姚氏自己，還引用唐順之、茅坤、姚範、方苞、劉大櫆等人的言論；不但儘量按照桐城派「神理氣味格律聲色」的八字眞訣來品騭文章，也不忘時時點出古今散文的源流正變，盛衰發展。可以說，從分類到選錄到評析，《類纂》已經充分體現了桐城派的文學觀點。

由於桐城派本身觀點的限制，《類纂》也有一些可以訾議的地方。最嚴重的問題是別擇過於狹隘，唐、宋以後所取甚少，方、劉二家則收錄太多，不免有家派私見，與文學史上的公議不盡合符；又過於重視體裁義法，而忽視文學藝術的純粹性，結果如奏議、碑志等類，所收篇章極多，而常流於歌功頌德，讀來不足動人，反覺枯燥。清末吳汝綸曾說《類纂》爲「二千年高文所具，六經可不盡讀，而此書決不能廢」，這又是帶有偏見的話，不可不察。

此書現有徐樹錚《諸家評點》本，王文濡《評校音注》本，高步瀛《高注》本，吳闓生《吳評》本，俱可參考。

國家圖書館出版品預行編目資料

認識國學

張蓓蓓著. – 初版. – 臺北市：臺灣學生，2004
面；公分

ISBN 978-957-15-1233-4 (平裝)

1. 漢學

030　　93017070

認識國學（全一冊）

著作者：張蓓蓓
出版者：臺灣學生書局有限公司
發行人：楊雲龍
發行所：臺灣學生書局有限公司
臺北市和平東路一段七五巷一一號
郵政劃撥戶：〇〇〇二四六六八號
電話：（〇二）二三九二八一八五
傳眞：（〇二）二三九二八一〇五
E-mail: student.book@msa.hinet.net
http://www.studentbook.com.tw
本書局登記證字號：行政院新聞局局版北市業字第玖捌壹號
印刷所：長欣印刷企業社
新北市中和區永和路三六三巷四二號
電話：（〇二）二二二六八八五三

定價：新臺幣

二〇〇四年十月初版
二〇一二年九月初版二刷

03010

ISBN 978-957-15-1233-4 (平裝)